Maïssa Bey

BLEU BLANC VERT

ROMAN

Éditions de l'Aube

TEXTE INTÉGRAL

ISBN 978-2-7578-0473-5
(ISBN 2-7526-0264-2, 1re publication)

© Éditions de l'Aube, 2006

« Supposez que vivre se représente par une sorte de mouvement, qui aille d'un lieu et d'un jour où l'on naît, au lieu et au jour où l'on meurt. Le soleil d'une vie se lève en un point de l'horizon, se dégage des brumes et des formes tendres de l'enfance. Le grand jour des sensations, des désirs, de la connaissance, des affections et des pensées se lève… La lumière se précise et durcit. L'astre des forces et des certitudes atteint le plus haut de sa course puis décline et disparaît. L'homme est donc une sorte d'éphémère qui ne revit jamais ce jour unique qui est toute sa vie. »

Paul Valéry, *Mon Faust*.

à Djilali,
tant de chemin parcouru ensemble.

1962-1972

Lui

Bleu. Blanc. Vert. Dès qu'il a posé son cartable sur le bureau, il a dit : à partir d'aujourd'hui, je ne veux plus voir personne souligner les mots ou les phrases avec un stylo rouge ! Ni sur les cahiers, ni sur les copies. D'abord, j'ai pensé que le rouge était sa couleur. Je veux dire, la couleur du professeur. Une couleur réservée exclusivement à tous les professeurs. Pour les corrections et les commentaires. Les bien, très bien, passable, mal, médiocre, les points d'exclamation, d'interrogation, les zéros soulignés, les bonnes et les mauvaises notes entourées ou non d'un certain nombre de cercles pour que les parents les voient bien. Il a ajouté : maintenant vous ne soulignerez plus qu'en vert. Avec un stylo vert. J'ai levé le doigt. Il m'a autorisé à parler. J'ai demandé pourquoi. Pourquoi on ne devait plus utiliser le rouge. Alors il est monté sur l'estrade. Il a expliqué. J'avais tout faux. Il nous a dit que, si on écrivait avec un stylo bleu sur la feuille blanche et qu'on soulignait en rouge, ça ferait bleu blanc rouge. Les couleurs de la France. Celles du drapeau français. Il a dit qu'on était libres maintenant. Libres depuis quatre mois. Après cent trente-deux ans de colonisation. Sept ans et demi de guerre. Un million et demi de martyrs. Et il a écrit tous les chiffres

13

au tableau. Avec de la craie rouge. Il a dit qu'on devait maintenant oublier la France. Le drapeau français. Et *La Marseillaise*. Mais moi, je me souviens encore des paroles. À l'école du village, on la chantait tous les matins. En saluant le drapeau. Le drapeau français, bien sûr. Mais on avait, entre nous, changé quelques mots. Par exemple, au lieu de dire «Le jour de gloire est arrivé», nous, on disait «La soupe est prête, venez manger». Sur le même air. Mais doucement. Personne ne comprenait ce qu'on chantait. C'était notre façon à nous de résister. C'était la guerre des mots. Je ne sais plus qui en a eu l'idée. Maintenant, depuis la rentrée scolaire, on chante *Kassamen*. Notre hymne national. On le chante chaque matin. Sans en changer les paroles. En saluant le drapeau. Notre drapeau. Notre drapeau est vert et blanc, avec une étoile et un croissant rouges au milieu. Je ne sais pas qui en a eu l'idée. L'idée des couleurs et du dessin. Il n'y a pas très longtemps qu'il flotte sur tous les bâtiments publics. Et même sur les balcons des immeubles. On en a accroché des centaines, des milliers et même plus le jour de l'Indépendance. Je me demande où ils étaient cachés. Le professeur a ajouté sur un ton menaçant et en agitant un doigt encore plus menaçant sur nous : vous devez respecter l'Algérie indépendante et ses martyrs. Je respecte l'Algérie. Et ses martyrs aussi. Je n'ai pas osé lever le doigt encore une fois pour lui demander si c'était une nouvelle loi. Et aussi pourquoi les autres professeurs ne nous avaient jamais dit de ne plus utiliser nos stylos rouges. Peut-être qu'ils n'avaient pas fait attention à ça. Autour de moi, les autres élèves ne posaient pas de questions. Mais puisque je suis indépendant, j'ai posé mon stylo bleu et j'ai sorti de ma trousse mon stylo noir. J'ai commencé à écrire. Ça ne fait plus bleu blanc rouge. C'était maintenant noir blanc rouge. Ainsi, je respecte mon professeur et mon pays. Et ma liberté. Quand il est passé dans les rangs et qu'il a vu ma copie, il me l'a prise. Il l'a déchirée. Puis il a pris mon cahier posé sur la table. Il l'a déchiré aussi. Il avait l'air très en colère. Je n'ai pas compris pourquoi. Il a dit: ça t'apprendra à obéir. Il m'a demandé de sortir de la classe et d'aller voir le surveillant général. Le surveillant général n'a rien compris. Lui non plus. Il m'a signé un billet d'entrée. Et je suis revenu dans la classe. Lui, c'est notre professeur d'histoire. Il a beaucoup de mal à faire ses cours. Parce que ce n'est pas vraiment un professeur. Comme beaucoup d'autres dans notre lycée. Parce que la plupart des professeurs de l'année dernière sont partis. Ils sont partis avant ou juste après l'Indépendance. Ils étaient Français. Alors on fait avec ceux qu'on a. En attendant. En attendant la vraie rentrée scolaire, avec des vrais professeurs. Le directeur et les journaux ont dit: «Pour pallier le plus urgent.» C'est-à-dire relever le défi. Dignement. Nous poursuivrons notre Révolution. C'est lui qui nous l'a dit. Il n'emploie que des mots comme ça. Et quand il parle en français, il roule les R. Alors on fait tous comme lui. Et même en exagérant un peu. Pour passer le temps et rigoler, entre nous. Avant, on n'avait pas le droit. Les instituteurs français nous punissaient. On apprenait le français correct et bien soigné. Parce que l'Algérie, c'était la France. Et le maître, en CM2, répétait toujours: «Être Français, ça se mérite.» Notre professeur d'histoire nous a dit aussi qu'avant, quand les Français occupaient l'Algérie, il n'y avait pas beaucoup d'enfants qui allaient à l'école. Encore moins au lycée. Et presque pas à l'université. Quand il dit «enfants», il parle des enfants algériens. De nous. C'est vrai qu'à l'école du village, on n'était pas nombreux. Notre professeur est encore étudiant à l'université. Mais il nous a expliqué que c'était parce qu'il a arrêté ses études pendant deux ans. Pour faire la Révolution. C'est pourquoi il a du mal. Et parce qu'on n'a pas encore de livre. De livre d'histoire. L'année dernière on apprenait encore l'histoire et la géographie de la France. Les rois fainéants. Les rois soleil. Les fleuves. Les Alpes. Le Massif central. La Révolution française. La guillotine. On n'était pas encore arrivés à l'Algérie. Maintenant il faut qu'on commence notre histoire à nous. Après cent trente-deux ans de colonisation, c'est difficile. Cent trente-deux ans et même plus. Parce qu'il y en a eu d'autres qui sont venus chez nous avant les Français. Et puis notre histoire n'est pas encore écrite. Alors, pour l'instant, on doit retenir quelques dates. Et quelques noms. Et des chiffres. Comme par exemple le nombre de morts. C'est suffisant. Je veux dire que c'est suffisant pour avoir de bonnes notes. Je connais la leçon par cœur. Juillet 1830 : début de l'occupation coloniale. 8 mai 1945 : manifestations et répression à Sétif Guelma Kherrata. 1er novembre 1954 : déclenchement de la lutte armée par l'Armée de libération nationale. 20 août 1956 : congrès de la Soummam. 19 mars 1962 : accords d'Évian pour le cessez-le-feu. Et enfin la plus importante, l'Indépendance, le 5 juillet 1962. On n'a pas de mal à retenir les dernières dates puisqu'on les a toutes vécues. C'est une histoire actuelle. C'est pour ça qu'ils n'ont pas eu le temps de la mettre dans des livres. Je trouve que c'est une chance de vivre des événements historiques. Et d'être commandé par des chefs historiques. Quand je suis rentré chez moi, j'ai demandé à mon père quel était le pays qui avait un drapeau avec ces couleurs. Noir blanc rouge. Il ne savait pas. Alors on a cherché dans un dictionnaire. Un de ceux qu'on a trouvés là, chez nous. Avec d'autres livres pour grands, laissés par ceux qui habitaient là avant nous. Des beaux livres avec des couvertures brillantes et des titres écrits en lettres dorées. Il y a un seul pays avec ces couleurs, rouge blanc noir, sur son drapeau. C'est l'un des deux Yémen. Et c'est un pays arabe. Il y a d'autres pays qui ont un drapeau avec les mêmes couleurs. Mais avec du vert en plus : les Émirats arabes, la Syrie, la Jordanie. Que des pays frères. Alors je ne comprends pas pourquoi il a déchiré mon cahier. Parce que maintenant on est des Arabes à 300 %. C'est Ben Bella, notre nouveau chef historique, qui l'a dit : nous sommes Arabes, Arabes, Arabes. Comme ça, on a bien compris. Et tous frères. Maintenant, on est frères, Arabes et socialistes. Je ne sais pas trop ce que ça veut dire, socialistes. Mon père dit que ça veut dire qu'on partage tout également. Ma mère hoche la tête. Elle semble d'accord. Mais quand elle sert les repas, il y a toujours plus de viande et de fruits pour mon père que pour nous, mon frère, elle et moi. C'est peut-être parce que mon père n'a pas beaucoup mangé de viande en prison. Avant, mon frère et moi, on ne devait pas dire à l'école que notre père était en prison. Surtout pas. Avant l'Indépendance. Maintenant, c'est ce qu'il faut dire en premier. Sur les fiches de renseignements, j'écris en majuscules : profession du père : moudjahid. Je suis le seul fils de combattant dans ma classe. Les autres, ils ne peuvent pas en faire autant. Il y en a qu'on appelle fils de *marsiens*. Parce que leur père s'est engagé au mois de mars. Après le cessez-le-feu. Les *marsiens* ont mis du temps pour se décider. La guerre était presque finie. Alors on se moque d'eux. Même si on sait que ce n'est pas leur faute. La faute des enfants, je veux dire. Moi, ce n'est pas la même chose. Je suis fier de mon père. Il est allé dans les djebels parmi les premiers. Pour la libération du pays. Quand il est revenu, il y a quelques mois, je ne l'ai pas reconnu. Lui non plus ne m'a pas reconnu. J'avais sept ans quand il est sorti de chez nous, la nuit, pour monter au maquis. Quand je me suis réveillé, il n'était plus là. J'en ai treize maintenant. Il n'est est pas resté très longtemps dans la montagne. Ils l'ont attrapé au bout de deux ans. Et ils l'ont mis en prison. Depuis qu'il est revenu, notre vie a changé. Il est resté quelques jours au village avec nous. Puis il est reparti. Et un jour, il est revenu avec une camionnette et il a dit : on va à Alger. Depuis ce jour-là, on vit ensemble à Alger. Dans un bien vacant. Les biens vacants, c'est des appartements meublés. Il y en a encore plein dans notre immeuble. Et dans tout le quartier. On est au bâtiment A. Huitième étage. Quand nous sommes entrés dans l'appartement, on aurait dit qu'il était encore habité. Il y avait tout à l'intérieur. Un Frigidaire. Une télévision. De la vaisselle. Des lits avec des draps. Une grande armoire. Et même des jouets. On n'avait jamais vu de télévision. Personne n'en avait autour de nous. Et quand elle vient, ma grand-mère ne s'assoit jamais avec nous. Elle croit que les hommes qui sont dans la télévision peuvent la voir. Ça nous fait rire mais ce n'est pas sa faute. Elle a honte. Et elle ne veut pas écouter quand mon père lui explique. Mais ce qui m'a le plus émerveillé, c'est la salle de bains avec la baignoire. Nous, quand on vivait là-bas, au village, on allait de temps en temps au hammam pour se laver. Et maintenant on peut se laver à la maison. Hamid et moi, on a une chambre.

Mon père et ma mère sont dans une autre chambre. Et il y a une grande pièce pour les invités. Et puis, il y a un balcon qui donne sur une grande rue. La première fois, en me penchant, j'ai eu le vertige. À cause de la hauteur et des voitures qui paraissaient toutes petites. Là-bas au village, on dormait sur des matelas posés par terre. Avec ma mère et ma grand-mère. Quand mon père n'était pas là. Et il n'y avait pas d'escaliers. On avait une petite maison, un petit jardin avec un figuier, un citronnier des quatre saisons, des cactus tout autour de la maison. Un peu comme une clôture d'épines qui se couvrait de figues de Barbarie en été. J'aime beaucoup les figues de Barbarie. Mais il ne faut pas en manger trop. Sinon on est constipé. Et on a mal au ventre. On avait aussi un poulailler pour les œufs et trois chèvres. Pour le lait. Tous les hommes qui n'étaient pas au maquis ou en prison travaillaient aux champs. C'étaient surtout des vieux. J'aimais bien mon village. J'aimais beaucoup mes chèvres. Là-bas, je pouvais sortir, courir, aller sur la colline pas très loin. J'étais libre. Plus libre qu'ici. Au début, je n'étais pas très content de partir. De tout laisser derrière moi. Mes chèvres, mes copains, mes oncles, ma grand-mère. Et quand on est montés dans la camionnette, j'ai vu ma mère s'essuyer les yeux. En cachette de mon père. Mais mon père dit qu'il n'y a qu'à Alger que les enfants peuvent étudier. Et qu'il peut, lui, avoir des chances de refaire sa vie. Parce que c'est la capitale. C'est pour changer sa vie et la nôtre qu'il a quitté son village natal. Dès qu'il est sorti de prison, il a dit: il faut qu'on quitte tout de suite le village. Il veut qu'on étudie. Il répète toujours qu'on ne peut pas coloniser un peuple instruit. Il a peut-être peur que d'autres viennent remplacer les Français. Il veut qu'on

19

devienne des savants : médecins, professeurs ou ingénieurs. Pour aider le pays. Pour édifier la nation. Tous les matins avant qu'Hamid et moi, on sorte pour aller au lycée, il nous menace. Si vous ne travaillez pas bien, vous serez éboueurs ou balayeurs des rues. Ou maçons. Mais on a aussi besoin de balayeurs pour nettoyer et de maçons pour construire ! Bien sûr, je ne lui dis rien. Pour en revenir aux couleurs, maintenant que je sais, je regarde partout. En rentrant chez nous, j'ai vu quelque chose qui n'aurait pas plu à mon professeur d'histoire, j'en suis sûr. Notre immeuble est peint en blanc, mais le dessous des balcons est bleu. Bleu plus foncé que le ciel. C'est très beau. Très propre. À Alger, il y a beaucoup de très grands bâtiments tout blancs. C'est pour ça qu'on l'appelle la ville blanche. Mais quelquefois il y a des femmes qui mettent à sécher des vêtements rouges sur les balcons de l'immeuble. Il y en a même qui ont mis des rideaux rouges aux fenêtres pour se protéger du soleil. Il faudra que j'en parle à ma mère. Elle ne sait pas. Elle n'est jamais allée à l'école. Mais si elle savait, elle irait expliquer aux voisines que maintenant on n'est plus obligés d'être aux couleurs de la France. Au contraire. Mais ce serait plus simple de repeindre l'immeuble en vert. Ou juste le dessous des balcons. Être Algérien, ça se mérite.

Elle

L'été est fini. Finies donc ces longues, très longues vacances, et fini aussi le temps où je pouvais me croire chez moi partout. Fini le temps des galopades dans les escaliers, le temps des portes ouvertes et des grandes découvertes. Dans notre immeuble, il reste encore quelques appartements inoccupés. Mais ils ont été entièrement vidés. Les nouveaux arrivés se sont chargés des déménagements. Dès qu'ils avaient besoin de quelque chose, ils envoyaient leurs enfants dans les appartements voisins. C'est que notre immeuble est grand. Douze étages pour les deux bâtiments, A et B, et six étages pour le C. Avec deux appartements à chaque palier et trois pour le C, ça fait beaucoup. Beaucoup d'appartements et beaucoup d'habitants. Je pourrais compter, mais je n'aime pas les opérations. Je déteste les mathématiques. Je n'ai jamais pu apprendre les tables de multiplication. Et je n'ai jamais su retenir les retenues des divisions. Elles se défilent dès que je pense à autre chose. Ce qui m'arrive souvent. Trop souvent, dit ma mère. Ce que j'aime, c'est les livres. Les histoires. C'est d'ailleurs pourquoi j'ai passé tout cet été à visiter les appartements récemment vidés. Comme beaucoup n'étaient pas fermés à clé, j'ai pu entrer dans presque tous les appartements de l'immeuble. Dans chacun d'entre eux, je m'inventais une autre vie. Et je m'installais pour quelques heures dans cette vie. Seulement, la nuit venue, je devais rentrer chez moi. Alors j'abandonnais mes rêves pour aller dormir. Mais à peine réveillée, je m'en allais pour de nouvelles découvertes. Ma mère me faisait promettre de ne pas sortir de l'immeuble. Je ne revenais à la maison que pour les repas. Et même des fois, j'oubliais. Alors elle m'appelait. Ou bien elle envoyait mes frères à ma recherche. Toute la journée, je montais, je descendais. Je frappais aux portes. Personne ne répondait. J'ai fait le tour de tous les appartements qui ont été laissés ouverts, mais je n'ai jamais rien pris. Ma mère m'a fait promettre de ne jamais rien prendre. Je voulais simplement trouver des livres. Des livres que je lisais dans les appartements, là où on les avait laissés. Et sans jamais les emporter avec moi, même si je ne les avais pas finis. Je poussais la porte. J'entrais dans la maison. C'est bizarre une maison qui n'est pas habitée. Elle garde encore l'odeur de ceux qui y ont vécu. Chaque maison a son odeur. Celle que je préfère, c'est celle du quatrième droite dans notre bâtiment, le A. Dès qu'on ouvre la porte, on sent tout de suite la rose fanée et le caramel un peu brûlé. Tout est imprégné de cette odeur: les murs, l'intérieur des tiroirs et des armoires, les draps et les serviettes qui y sont encore rangés. Et quand j'ouvre un livre, l'odeur me saute à la figure, comme si elle était enfermée dedans. L'odeur d'un lieu, c'est comme les signes particuliers sur une carte d'identité. C'est comme si la maison voulait me dire: tu vois, je suis encore pleine d'une autre vie. Une vie tellement remplie de fleurs et de douceurs que j'en ai gardé toute la substance. J'ai demandé à Maman si elle avait connu les derniers occupants. Maman se souvient de tout. Et même si elle ne fréquentait pas beaucoup les Français, elle saluait toujours ceux et celles qu'elle rencontrait devant la porte de l'immeuble, dans le hall d'entrée et dans les cages d'escalier. Certains ne répondaient pas. Ils faisaient semblant de ne pas la voir. Ou de ne pas l'entendre. Mais ça ne lui faisait rien. Le lendemain, si elle les rencontrait de nouveau, elle les saluait de nouveau. On ne peut pas croiser un voisin, arabe ou français, sans lui souhaiter un bon jour ou un bon soir. Ce serait très mal. Elle m'a dit que celle qui habitait au quatrième droite était une vieille dame. Madame Catherine. Elle vivait seule. Ses enfants étaient partis étudier en France. Ils venaient la voir de temps en temps. Toute l'année, elle faisait des confitures qui embaumaient la cage d'escalier. Elle en distribuait à tout le monde ou presque. Même à nous. Elle disait toujours bonjour à ma mère quand elle la croisait dans les escaliers. C'est elle qui a donné la recette de la pâte de coing à Maman. Et quand je suis entrée chez elle à la fin du mois de juillet, il y avait encore plein de petits pots vides sur les étagères du buffet, dans la cuisine. Dans son débarras, il y a ou il y avait, je ne sais pas s'ils y sont toujours puisque la maison est occupée maintenant, des dizaines et des dizaines de magazines. Des romans-photos, des *Nous deux*, des *Confidences*, des *Intimité*. Tous classés par année et rangés dans des cartons. Je ne crois pas les avoir bien remis en place. Tout l'été, je me suis régalée. J'aime les histoires d'amour. Surtout celles qui finissent bien. Et dans toutes ces revues et dans tous les livres que j'ai trouvés là-bas, dans la maison de madame Catherine, elles finissaient toujours bien, malgré tout. Voilà comment elles commencent presque toujours : un homme et une femme se rencontrent par hasard. Un hasard inventé par l'auteur du livre. Lui, il est très beau, très riche et très ombrageux. Elle, elle est très belle, pauvre et très fière. Et souvent orpheline. Comme moi. Au début, il ne se passe rien entre eux. Des fois même, ils se détestent dès le premier regard. Après, ils se rendent compte qu'ils s'aiment. Mais pas tout de suite. Puis ils tombent dans les bras l'un de l'autre. Parce que c'est plus fort qu'eux. L'amour est plus fort que tout. Je sais bien que ce n'est pas la même chose dans la vraie vie. Mais moi, je rencontrerai un jour quelqu'un qui me regardera et qui saura que c'était moi qu'il attendait. J'en suis sûre. Sinon rien. Ceux que je préfère, ce sont les romans de Delly et Max du Veuzit. Quand on croit que tout est fini, qu'il va se marier avec une autre et qu'on a perdu tout espoir, il se passe soudain quelque chose. Quelque chose d'inattendu. Et tout peut enfin se mettre en place. Soulagé, on respire. Quand je suis trop impatiente de savoir si oui ou non il va la prendre dans ses bras, si elle va capituler et enfin céder à cette passion sauvage, je saute les pages pour arriver plus vite à la fin. Même si je sais presque toujours comment l'histoire va se terminer. Parce que toutes les femmes finissent par dire oui à un homme beau, riche et farouche. C'est surtout en lisant les livres et les revues de madame Catherine que j'ai appris tous ces mots : substance, arôme, derechef, farouche, indomptable, ombrageux, capituler, et bien d'autres expressions. Et quand je rencontre un mot pour la première fois, je m'arrête. Je vais chercher un dictionnaire. Il y en a partout. Dans toutes les maisons. Et quand le mot me plaît, je l'écris dans mon carnet de mots nouveaux. Et je recopie la définition. Pour qu'on se reconnaisse si on se rencontre ailleurs. Comme les maîtresses nous ont appris à le faire. J'ai aussi appris l'emploi du passé simple et de l'imparfait. Dans des paragraphes comme celui-ci : *Tandis qu'elle tentait de se relever, il plongea son regard brûlant dans ses prunelles d'azur et la saisit d'un geste brusque sans lui laisser le temps de protester. Il l'emporta derechef dans ses bras puissants. Vaincue enfin, elle s'abandonna. Elle fut tout à lui.* » C'est peut-être grâce à ces lectures que j'ai toujours les meilleures notes en grammaire, en conjugaison et analyse logique, et surtout en rédaction, au lycée. Ma mère n'aime pas trop me voir plongée dans ces livres. Elle dit que ce n'est pas de mon âge et que la vraie vie commence après le mot FIN. Mais c'est normal. Mon père n'est plus là. Et puis, elle, elle n'a rencontré mon père que le jour même de leur mariage. Ils ne s'étaient jamais vus avant. Je me demande si elle était effarouchée. Voilà encore un mot que j'aime bien. Elle dit qu'ils se sont aimés après. Pas comme dans les livres. Elle dit aussi qu'elle a eu beaucoup de chance de tomber sur un homme comme lui. Mais leur bonheur n'a pas duré longtemps. Le mot FIN s'est écrit très vite. Ils n'ont vécu que six ans ensemble. Mon père est un martyr de la Révolution. Il a eu juste le temps d'avoir quatre enfants avant de mourir dans une embuscade. L'aîné, c'est Mohamed. Mon grand frère. Trop grand pour que je joue avec lui. Puis il y a les jumeaux, Amine et Samir. Des faux jumeaux. Ils ne se ressemblent pas du tout. Et enfin moi. Lilas. J'aurais dû m'appeler Leïla. C'est ce que voulait mon père. Leïla, ça veut dire nuit. Mais à la mairie, on a écrit mon nom autrement sur mon acte de naissance. Ma mère m'a dit que celui qui a reporté mon nom sur les registres, c'était un Français. Il ne connaissait pas la nuit arabe. Moi j'aime bien. Leïla, nuit. Lilas, fleur. Fleur de nuit. C'est mon nom secret. Je ne l'ai confié à personne. Seul saura me nommer celui qui viendra un jour. Il paraît que mon père était fou de joie le jour où je suis née. Après trois garçons, c'est bien la moindre des choses. Mais quand ma grand-mère paternelle est venue me voir – elle qui n'a eu qu'un seul garçon et six filles et dit des paroles que je ne comprends pas toujours –, elle a dit à ma mère: on vient de m'annoncer une nouvelle qui ne me permettra ni d'accroître mes richesses, ni de faire confiance au voisin, ni de vaincre un ennemi, ni de venger un affront. Maman m'a expliqué que c'est ce que disent les anciens chaque fois qu'une fille vient à naître. C'est une maxime. Elle m'a même dit que pour endormir un petit garçon, on chantait: Puisse Dieu le Tout-Puissant le protéger. Et une femme au teint blanc lui donner. Une femme belle et parfumée. Qu'elle puisse de son père et de ses oncles hériter. Et pour cent douros seulement, l'épouser. Je trouve que c'est très beau. La santé, l'amour, l'argent et la beauté. Voilà les rêves des mères pour leurs fils. Mais maintenant ce n'est plus pareil. On ne peut plus parler ainsi. Les femmes peuvent vaincre un ennemi. Depuis qu'elles ont participé à la guerre de libération. J'en ai même vu qui défilaient en uniforme militaire pendant les fêtes du 5 Juillet. Il faut maintenant que les anciens trouvent d'autres maximes. Et d'autres chansons. Parce que nous avons fait la Révolution. Et puis beaucoup de femmes travaillent. Moi, plus tard, je travaillerai. Mais je dois d'abord finir mes études. C'est ce que dit Maman. Depuis la nouvelle rentrée scolaire, il y a des femmes qui enseignent dans les écoles. Pas seulement des Françaises. Il y en a beaucoup qui ne portent plus le haïk. Ma mère continue à le porter parce qu'elle est veuve. Quand il n'y a pas d'homme à la maison, il faut faire attention à sa réputation. Ce pourrait être une autre maxime. Décidément, je n'aime pas trop les maximes. Je préfère les citations. Dans un appartement au septième étage, j'ai trouvé un dictionnaire des citations. J'en ai recopié plein dans mon journal intime. Avec des stylos de toutes les couleurs. J'en connais par cœur. Surtout celles qui parlent d'amour. Celle que j'aime le plus, c'est: « *S'aimer, ce n'est pas se regarder l'un l'autre. C'est regarder ensemble dans la même direction.* » Mon livre préféré, c'est *Le Petit Prince*, d'Antoine de Saint-Exupéry. On ne croirait jamais que c'est un adulte qui l'a écrit. Je me demande comment font les auteurs pour trouver des phrases qui vont rester vivantes même après leur mort. Et quand on les lit, après c'est comme si on avait gardé un écho dans la tête. Un écho de leur voix. Finalement, c'est cet appartement-là, celui du septième, que j'ai le plus aimé. Pas pour l'odeur. Mais pour les tableaux accrochés aux murs du salon. C'est celui où j'ai passé le plus de temps. J'y restais des heures entières. Chaque jour, je choisissais un des tableaux. Je poussais un fauteuil pour m'installer juste en face. Je le regardais jusqu'à ce que plus rien n'existe autour de moi. Tout devenait sombre. Et j'étais à l'intérieur. À force de les observer, j'arrivais à me glisser dans chacun des personnages. Je les regardais fixement, sans bouger, jusqu'à arriver à eux. Il fallait que j'arrive à me retirer complètement de ma vie pour pouvoir les rejoindre et entrer dans la leur. J'étais une petite fille coiffée d'un chapeau de paille. Une femme, assise devant son miroir, le bras levé, en train de se coiffer. Une danseuse avec un tambourin. Et je me racontais l'histoire de chacune des personnes qui ont posé pour chaque peintre. Je me demande qui elles étaient, comment elles s'appelaient, où elles vivaient, et pourquoi elles ont été choisies. Il y a sûrement une raison. Et aussi une raison pour que, après, ceux qui regardent ces tableaux soient tellement émus qu'ils sont heureux rien qu'à les regarder. Et peut-être que celui qui peint ne sait même pas pourquoi ni pour qui il peint. Il peint tout simplement parce qu'il ne peut pas faire autrement. Parce que c'est un artiste. Comment et pourquoi il est devenu artiste, c'est un mystère. Comme choisir les tableaux et les objets qui entrent dans notre maison pour partager notre vie ? Pourquoi vouloir celui-là, et pas un autre ? Chacun ses goûts, dit ma mère. Plus tard, quand j'aurai ma maison à moi, il n'y aura que des tableaux comme ceux-là accrochés aux murs de toutes les chambres. Sinon rien. Souvent, je me demande pourquoi ceux qui vivaient dans l'appartement ne les ont pas emportés. Ma mère dit que je pose trop de questions. Que c'est fatigant. Et qu'on ne peut pas tout savoir. Alors je garde ces questions pour moi. Pour un autre jour. Ou pour quelqu'un qui voudra me répondre. Mais je me demande s'ils ont emporté d'autres objets. Plus précieux. Des bijoux ou des souvenirs irremplaçables. Peut-être qu'ils n'ont tout simplement pas eu le temps de décrocher les tableaux. Ni suffisamment de place pour les ranger dans leurs bagages. Je ne sais pas où ils sont maintenant. Mais s'ils savaient que je suis montée chez eux presque chaque jour de cet été pour regarder longtemps leurs tableaux, les garder vivants et veiller sur eux, je pense qu'ils seraient quand même contents.

Lui

On ne dirait pas que la guerre est finie. À la radio, on parle de nombreux affrontements. De « luttes fratricides ». Un peu partout dans le pays. De l'est à l'ouest. Mon père est de plus en plus silencieux, de plus en plus absent. Il rentre très tard à la maison. Et quand il rentre, il a sa tête des mauvais jours. Taisez-vous, dit ma mère même si on ne parle pas, en nous ordonnant de ne pas faire de bruit pour ne pas en rajouter. Je n'ai pas vraiment compris ce qui se passe. Hier soir, Hamid, mon frère, m'a dit qu'on continuait à se battre. Il sait plus de choses que moi puisque c'est l'aîné. Il m'a traité d'imbécile quand je lui ai demandé si les Français étaient revenus. Mais alors, qui ? Qui sont nos nouveaux ennemis ? Sans cesser de se regarder dans la glace, il a ricané. C'est nous. J'ai cru qu'il se moquait de moi. Mais il m'a expliqué qu'on se battait entre nous. Nous, il voulait dire nous, les Algériens libres et indépendants ? C'est ça. C'est une guerre algéro-algérienne. Armée de libération nationale contre Armée de libération nationale. Ceux qui ont fait la guerre contre les Français se battent aujourd'hui entre eux. Il y a des accrochages. Des batailles. Des morts. Des blessés. Des armes. Des chars. Entre chaque mot, il pressait un de ses boutons.

Il a beaucoup de boutons sur le visage. Rien ne l'énerve plus que quand on lui dit qu'il bourgeonne. Et quand il s'énerve, il ne contrôle plus sa voix. Elle part dans les aigus et dégringole brusquement dans les graves, comme une aiguille de compteur affolée. Surtout quand il s'énerve. Il fait rire tout le monde. Alors il n'ose même plus parler, ni se montrer. Depuis qu'on est là, il passe ses journées enfermé dans la salle de bains. Devant la glace. À faire gicler ses comédons. À raser les quelques poils de barbe qui réussissent à se faufiler sur ses joues au milieu des clous et des points noirs. À s'astiquer dans la baignoire. À essayer de détendre ses cheveux avec de la gomina. Et ça peut durer des heures. Jusqu'à ce que mon père, après l'avoir appelé des dizaines de fois, menace de défoncer la porte. De le faire sortir de là à coups de pied. À ton âge, j'étais dans les champs et je travaillais de l'aube au coucher du soleil pour aider mon père. C'est normal d'aider son père. Mais ici il n'y a pas de champs, et là-bas, il n'y avait pas de salle de bains. Depuis qu'on sait ce qui se passe un peu partout dans le pays, on n'ose même plus se bagarrer, mon frère et moi. Devant les parents surtout. On règle nos comptes ailleurs. Dehors. J'ai entendu ma mère dire à la voisine du cinquième C, Zohra, celle qu'on appelle la Sétifienne, que des militaires venus des frontières se battaient contre les militaires de l'intérieur, les maquisards, pour le «Fauteuil». Des frères qui s'entre-tuent pour pouvoir s'asseoir dans un fauteuil ! Hamid a éclaté de rire quand je lui ai rapporté ce que j'avais entendu. Il croyait que je n'avais pas compris. Mais je sais ce qu'elles voulaient dire. Le Fauteuil, c'est le pouvoir. Celui qui arrive à s'installer le premier sur le Fauteuil devient celui qui commande. Un peu comme ce jeu idiot auquel jouent les filles dans la cour de l'école pendant la récréation. Un deux trois soleil. Et elles courent pour arriver les premières au mur. Mon père, lui, n'a eu besoin ni de se battre ni de courir pour occuper le fauteuil du salon. Et la meilleure place devant la télé. Avant, au village, quand il n'était pas là, on s'asseyait tous ensemble. Ma mère, ma grand-mère, mon frère et moi. Et on partageait tout. Et puis on n'avait pas de fauteuils. Pas même de chaises. On s'asseyait tous sur des nattes ou sur des matelas. Et personne ne pouvait être au-dessus. Mais c'est normal. C'est lui le chef de famille. Moi aussi, plus tard. Je me demande qui occupe le fauteuil dans les réunions des moudjahidine où il va tous les jours. Quelle place il occupe parmi ses frères. Je veux parler des autres frères. Parce que, depuis l'Indépendance, on est tous frères et sœurs. Tous les discours qu'on écoute à la radio commencent avec ces mots : « Chers frères, chères sœurs. » Nés d'une même mère : la Révolution. Avant, c'était la France notre mère patrie. Mais on n'a pas encore fini de naître. Ou plutôt de mourir. Il y en a qui ont eu juste le temps de se dire qu'ils étaient des héros de la guerre de libération avant d'être emportés par une balle tirée par un de leurs frères. Peut-être pas même eu le temps de rentrer chez eux pour retrouver leur femme et leurs enfants. Ou leur mère. Comme si une guerre de sept ans et demi, ce n'était pas assez long. Pas assez meurtrier. Un million et demi de morts. C'est ce qu'on apprend au lycée. C'est ce qu'on a crié à la manifestation l'autre jour. On est allés jusqu'à la Grande Poste. Et plus loin encore, sur le grand boulevard du front de mer. Puis on s'est arrêtés devant un grand bâtiment. Là où se sont installés les responsables. Les responsables de la guerre qui ne veulent pas arrêter de

31

faire la guerre. Et tout le long de la marche on a crié :
« Sept ans, ça suffit ! » « Un million et demi, ça suffit ! »
« Vive l'Algérie libre ! » On aurait dû dire sept ans et
demi, mais ça ne sonnait pas bien. Alors on a laissé
tomber les six derniers mois. On a chanté tous les
hymnes. On a chanté tellement fort que, de retour à la
maison, aucun d'entre nous ne pouvait plus parler. Alors
ma mère a dit : miel et citron pour tout le monde. Mais
je ne sais pas si on nous a entendus. C'est ma mère qui
nous a entraînés là-bas. Sans rien dire à mon père. Les
voisines se sont donné le mot pour y aller. Au milieu
de la foule, j'ai aperçu certains de mes camarades. Avec
leur mère et leur père. Il y avait beaucoup de femmes.
Il faisait chaud. On était tellement nombreux qu'il y
avait comme des vagues blanches et noires dans les
rues. On a marché sous le soleil, main dans la main.
Comme frères et sœurs. Il y en a même qui dansaient.
Comme pour une fête. Et pourtant, on savait tous que
la situation était grave. C'est ce que n'arrêtaient pas de
dire les adultes. Et on est revenus tous ensemble. C'est
ma première manifestation. J'aimerais que ce ne soit
pas la dernière, parce que je me suis bien amusé. J'aurais
voulu poser une question à mon père. Parce qu'il sait.
Parce qu'il a fait la guerre, lui aussi. Ceux qui sont morts
cet été, après l'Indépendance, est-ce qu'on peut dire
qu'ils sont morts pour la patrie ? Comme les autres martyrs
de la Révolution ? On aurait donc plus d'un million et
demi de morts. Mais j'étais trop fatigué. Je n'ai pas pu
l'attendre. Je me suis endormi avant qu'il ne rentre.

Elle

Il m'a semblé entendre des coups de feu cette nuit.
Ce matin j'ai demandé à Maman si j'avais rêvé. Mais
c'étaient des vrais coups de feu. Elle aussi les a entendus.
Elle avait sa tête des mauvais jours. Je n'ai pas trop
insisté. Dans ces cas-là, il vaut mieux ne pas poser trop
de questions. Mais je croyais que la guerre était finie.
Et que les militaires avaient remplacé les armes par des
outils pour construire le pays. Avant, c'étaient des
bombes et des coups de feu tous les jours et toutes les
nuits. Surtout les derniers jours. Avant l'Indépendance.
Depuis qu'on a échappé à l'attentat, Maman ne supporte
plus d'entendre le moindre tir. L'attentat, c'était au mois
de mai. Le jour de mon anniversaire précisément. On
ne fête pas les anniversaires, chez nous. Parce que,
comme dit Maman, avec la guerre et tous les gens qui
meurent chaque jour, on n'a pas le cœur à la fête. Et
mon père n'est plus là. Ce jour-là, on a eu tous très peur.
Le matin, en ouvrant la porte, on a trouvé une inscrip-
tion sur le mur juste à côté de chez nous: «À mort les
Arabes.» En lettres rouges. À minuit, l'OAS a tiré sur
notre appartement. Les tireurs étaient dans la petite rue
juste derrière l'immeuble. On peut voir encore aujour-
d'hui les traces de balles sur la façade arrière, celle qui

donne sur la cour. Douze trous. Et on a gardé aussi le matelas et le sommier, tous deux transpercés cette nuit-là par une balle qui a traversé les volets et les vitres de la fenêtre. Maman dit que c'est un souvenir. Mais c'est un mauvais souvenir. Les mauvais souvenirs, il vaut mieux les jeter. C'était le lit d'Amine. Il dormait. Tout le monde dormait. Dès qu'elle a compris que c'était notre appartement qui était visé, Maman est venue le tirer du lit. Juste à temps. On s'est tous cachés dans le débarras. Parce qu'il est entre deux pièces et qu'il n'a pas de fenêtre. On est restés dans le noir. Maman nous a serrés très fort contre elle. Elle respirait très vite, comme si elle était essoufflée. Et elle reniflait. J'ai compris qu'elle pleurait. Je me suis mise à pleurer aussi. Mes frères avaient peur, mais ils ne pleuraient pas. Mohamed n'était pas là. Maman l'avait envoyé chez mon grand-père le jour où un homme, en le croisant dans les escaliers de l'immeuble, l'avait traité de graine de fellaga. Elle avait très peur pour lui. Pour nous tous en vérité. J'ai demandé à Maman si on allait tous mourir. Elle a mis sa main sur ma bouche. La fusillade a duré quelques minutes. Ou très longtemps. On ne peut pas savoir. J'ai lu dans des livres que, à certains moments, les secondes pouvaient durer des heures. Et puis on a entendu des coups frappés à la porte. On a cru qu'ils étaient là. Qu'ils venaient nous achever. On s'est tassés contre le mur, sous les vêtements. À l'intérieur même de la penderie. Et on a attendu qu'ils défoncent la porte. Mais c'était la voisine d'en face. Madame Lill. Elle appelait ma mère. On a mis un certain temps à lui ouvrir. Mais c'était la seule chose à faire. On a traversé le couloir en courant. Toujours dans le noir. Toujours serrés contre ma mère. Elle a ouvert la porte. On s'est engouffrés dans l'autre appartement. Ils étaient tous réveillés, eux aussi. Le père et les fils. Ils nous ont cachés dans la salle de bains. Leur salle de bains à eux, c'est comme notre débarras. Il n'y a pas de fenêtre. On entendait toujours des tirs, mais un peu plus loin. Puis le calme est brusquement revenu. Alors ils nous ont fait asseoir dans le salon. Madame Lill a pris Maman dans ses bras. Elles tremblaient toutes les deux. Elles sont amies. Depuis le premier jour. Le jour où on s'est installés dans l'appartement qu'on venait d'acheter en copropriété, avec l'argent du capital décès de mon père. Parce qu'ils ont payé pour la mort de mon père. Pas ceux qui l'ont tué. Les autres. Ceux pour qui il travaillait. Parce qu'il avait un travail capital. Très important. Il était instituteur. C'est grâce à lui qu'on est là. À Alger. On habite ici, dans l'immeuble, depuis presque deux ans et demi. C'était le 8 juillet 1960. Je m'en souviens parce que c'est une date importante. Importante pour nous. Ce jour-là, on a changé de vie. On est arrivés l'après-midi après un long voyage en train. Le camion qui transportait les meubles et les bagages est arrivé avant nous. C'est mon oncle et ma tante qui s'étaient occupés de tout. L'achat de la maison, le déménagement et tout. On est entrés dans l'appartement. Il nous a semblé petit, mais très beau. Très propre. Parce que l'appartement était neuf. L'immeuble aussi. Personne n'avait habité là avant nous. L'odeur de peinture était encore très forte. Ce que j'ai le plus aimé, tout de suite, c'est le balcon. C'était la première fois que je me trouvais aussi haut. Et puis, entre les deux bâtiments d'en face, on voyait un petit bout de mer qui change de couleur tout le temps. Quelques instants après, on a frappé à la porte. C'était elle. Madame Lill. Avec un grand bouquet de fleurs et une boîte de gâteaux. Elle a dit: c'est pour vous souhaiter la bienvenue. Elle avait l'air très contente de découvrir ses nouveaux voisins. Nous, on était étonnés. Et pour la remercier, quelques jours plus tard, Maman a préparé un grand couscous, avec de la viande et tout, et lui en a fait porter par Amine dans une grande assiette. Et c'est ainsi qu'elles sont devenues amies. Elles ne passaient pas un seul jour sans se voir. Sans discuter de tout. De leurs enfants. De la guerre. De leur vie. Et quand mon grand-père venait nous voir, il passait des heures avec le père de madame Lill. Il l'appelait mon ami Léon. C'était avant, quand les Lill étaient encore là. Je ne sais pas si monsieur Léon est parti, ou s'il est resté dans sa ville natale. Ils sont devenus amis le jour où monsieur Léon a révélé à mon grand-père qu'il connaissait par cœur tout le Coran. Parce qu'il l'avait appris à l'école coranique de son village. Il a raconté à mon grand-père comment c'était arrivé. Il attendait ses camarades devant la porte. Et un jour, le maître lui a demandé d'entrer avec eux. Il s'est assis avec ses camarades. Et il a fait comme eux. Mon grand-père s'intéresse beaucoup aux religions. Parce qu'il est cadi. C'est presque la même chose qu'un juge sauf que lui ne s'occupe que des affaires des musulmans. C'est lui qui m'a expliqué. Il sait écrire en français et en arabe. Il a lu la Bible et aussi les autres livres religieux de monsieur Léon. Alors, dès qu'ils se rencontraient, monsieur Léon et lui parlaient de toutes les religions. Ils s'entendaient très bien. Madame Lill s'appelle Simone. Elle s'appelle aussi Messaouda. Messaouda, qui veut dire la bien-heureuse. C'est un nom arabe. Mais madame Lill n'est pas arabe. Elle est juive. Mon grand-père m'a expliqué que les juifs sont français depuis pas très longtemps.

Avant ils étaient comme nous. Mais Simone-Messaouda n'est pas du tout comme les Français d'ici. Ceux qui vivent dans l'immeuble. Elle parle arabe exactement comme nous, sauf qu'elle a l'accent du Sud. Avant de se marier et d'habiter à Alger, elle vivait avec sa famille dans une ville du Sud. Quand elle y allait pendant les vacances, elle nous rapportait à chaque fois des dattes et des épices. Son mari s'appelle Gaston. Elle a trois fils. Pierre. Paul. Jacques. Et surtout elle avait une télévision. Nous, on n'avait jamais vu de télévision avant. Alors on allait souvent chez elle. Surtout les jeudis après-midi, pour voir le programme destiné aux enfants. Elle nous servait du pain perdu et des grands bols de lait au chocolat. Il y avait toujours une bonne odeur de beurre, de sucre et de lait quand on entrait chez elle. Elle nous donnait aussi du pain azyme. Maman adore ça. Et en échange, quand Maman pétrissait du pain ou de la galette, elle en faisait toujours un peu plus, pour eux. À certains moments, pendant plusieurs jours, madame Lill nous demandait de faire attention à ne pas laisser de miettes sur les fauteuils et sur les chaises. C'était interdit par leur religion. Le soir de l'attentat, elle nous a servi de grands bols de chocolat chaud. On n'avait ni faim ni soif, mais on a tout bu. Pour lui faire plaisir. Et on s'est tous endormis sur des matelas qu'elle a disposés pour nous au milieu du salon. C'est le lende-main matin qu'on est partis vivre ailleurs. On a eu très peur de sortir de l'immeuble, parce qu'on croyait que les tireurs de l'OAS nous attendaient dehors. Mais quelques-uns de nos voisins, ceux qui connaissaient Maman, nous ont accompagnés jusqu'au taxi. Le chauf-feur de taxi claquait des dents tellement il avait peur. Parce que c'était un Arabe. Et les Arabes ne pouvaient plus aller dans les quartiers français. Je ne sais plus qui l'avait fait venir pour nous emmener. Les voisins se sont tous mis devant la porte pour nous dire au revoir et nous protéger. Enfin je crois. C'était la dernière fois qu'on les voyait. Ils sont presque tous partis avant notre retour, au mois de juillet. Madame Lill a confié les clefs de son appartement à Maman. Elle les lui a fait remettre par sa sœur qui ne voulait pas quitter le pays. De temps en temps, on va allumer les lumières et regarder la télévision dans son appartement. En attendant. Pour que personne ne s'y installe. Peut-être qu'ils vont revenir. Ce n'est qu'après que j'ai su pourquoi ceux de l'OAS ne sont pas venus le lendemain pour nous achever. Maman m'a expliqué. Ils voulaient surtout nous faire peur. Pour nous obliger à quitter l'appartement. Parce que notre immeuble était dans un quartier européen. C'est-à-dire un quartier où il y avait plus de Français que d'Arabes. C'est peut-être pour ça qu'on n'a pas été plastiqués la nuit où il y a eu des dizaines et des dizaines d'explosions dans toute la ville. C'était au début du mois de mars. Ils ont dit que c'était une nuit bleue. Comme la peur. J'ai eu très peur cette nuit-là, aussi. On s'est tous réfugiés dans le lit de Maman. Sans pouvoir fermer l'œil. Déjà qu'on avait du mal à s'endormir avec le concert des casseroles. Parce qu'à partir de huit heures du soir, ils tapaient tous sur leurs poêles et leurs casseroles pour faire « Al-gé-rie fran-çaise ». Trois coups brefs et deux longs. Dans l'immeuble on était sept familles arabes en tout. Elles ont toutes été obligées de partir au mois d'avril ou au mois de mai. Je ne sais plus. Sauf Rabha, la voisine du quatrième, celle qu'on appelait entre nous « la vendue », parce qu'elle vivait avec un Français et qu'elle travaillait chez le gouverneur général. Elle, elle est restée même quand l'OAS pourchassait tous les Arabes. Elle est partie avec son Français juste avant le vote pour l'Indépendance. Nous aussi, quand on était partis le lendemain de l'attentat, on a laissé les clefs de notre appartement à madame Lill. Et c'est une femme qui vivait seule dans un quartier arabe qui est venue habiter dans notre appartement. On nous a échangés contre elle. Arabes contre Français. C'était une Française. Une Française qui avait un nom espagnol. Madame Anita Gomez. Et pendant tout ce temps, on a habité chez elle. Dans sa maison. Pendant deux mois. En plein milieu du quartier arabe, juste à côté du nôtre. On était séparés par le Jardin d'Essai. C'était la frontière. Elle avait un piano et un jardin. C'est là-bas que j'ai vu mon premier mort. Presque tous les jours, des voitures ramenaient des morts et des blessés. Il y a même eu des tirs de mortier sur les hauteurs du quartier. Nous n'avons pas été touchés. Heureusement. Mais beaucoup de maisons ont été détruites. Finalement, avec tout ça, on peut dire qu'on a de la chance d'être en vie. C'est peut-être mon père qui nous protège, de là où il est. Qui sait ? J'avais six ans et demi quand il est parti. Je ne me souviens presque pas de son visage. Un jour, il y a longtemps, j'étais encore petite, j'ai demandé à mon grand-père si mon père était notre dieu à nous puisqu'il était au ciel. Parce que c'est ce que Maman me disait quand je demandais où était parti mon père. Pour toute réponse, mon grand-père m'a donné une gifle. Je m'en souviens encore. Je n'ai pas compris pourquoi. Et comment on peut répondre à une question par une gifle. Mais peut-être que c'était mal. Mal de poser des questions sur Dieu. Il faut faire très attention avec les dieux. Le dieu des juifs leur a ordonné de ne pas allumer la lumière le samedi. Et de ne pas travailler. C'est le jour du shabbat. Maman m'envoyait souvent le samedi chez madame Lill pour appuyer sur les interrupteurs. C'est moi qui leur donnais la lumière. Mais je n'ai jamais su qui éteignait le soir avant qu'ils ne s'endorment.

Lui

Il se passe presque tous les jours quelque chose dans notre immeuble. Je devrais dire presque toutes les heures. Il y a des disputes, beaucoup de disputes, des réconciliations publiques, des fêtes, des deuils, des emménagements et des déménagements. Un mouvement perpétuel. Il faut dire que, depuis qu'on est là, il y a maintenant plus d'un an, presque tous les appartements sont occupés. Et maintenant, il y a beaucoup de monde. Des fois, j'ai l'impression que notre immeuble, c'est comme un grand meuble, une commode, avec plein de tiroirs. Et dans chaque tiroir, il y a plein de vies. Quand on ouvre, ça fait beaucoup de bruit et beaucoup d'histoires. Des histoires qui concernent les femmes surtout. Le jour, on dirait un monde où il n'y a que des femmes. Parce que les hommes ne sont jamais à la maison. Sauf ceux qui ne travaillent pas. Mais même s'ils ne travaillent pas, les hommes ne restent pas à la maison toute la journée. Ils se retrouvent dans les cafés. Entre eux. Les femmes ne vont pas dans les cafés. Quand les hommes ne sont pas là, elles se retrouvent. Chez l'une ou chez l'autre. Et de cette façon, elles savent tout. Tout ce qui se passe dans l'immeuble et dans le quartier. Des paroles qui courent, se croisent, se transmettent, se répètent et font comme un fil tendu d'une maison à une autre. Pour transmettre les nouvelles. Hamid appelle ça le téléphone arabe. Comme elles ne sortent pas, elles peuvent se permettre d'aller dans les maisons. Il suffit juste de monter ou de descendre. Ce n'est pas comme au village. Au village, dès qu'une femme sort de chez elle, tout le monde le sait. Tout le monde la voit. Et on la reconnaît même sous son voile. Ici, quand elles ne sortent pas de leur appartement, elles discutent de balcon à balcon. Des balcons qui donnent sur la cour intérieure. Bien sûr. Pas les autres, parce qu'on pourrait les voir de la rue. C'est bien pratique les balcons pour ça. Des fois, je suis dans ma chambre et je les entends parler. Il y en a qui disent des mots que je ne comprends pas. Elles parlent beaucoup par allusions. Des mots de femmes sur les hommes et sur le sexe. Et elles rient. Ma mère ne se met pas au balcon. Elle ne va pas chez les voisines. Sauf quand quelqu'un meurt. Ou pour une naissance. Mon père ne veut pas. Il ne veut pas qu'elle « fréquente ». Il répète toujours qu'il a peur des mauvaises fréquentations. Pour nous aussi. Il dit que c'est dangereux pour l'équilibre de la famille. Si quelqu'un a des intentions malhonnêtes, il peut déteindre sur les autres, et leur mettre des mauvaises idées dans la tête. Mais ça, comme dit Hamid, tous les parents le disent. Les mauvaises fréquentations, c'est toujours les enfants des autres. Ma mère pourrait sortir quand il n'est pas là. Comme les autres. Il ne saurait rien. Mais elle dit qu'elle n'est pas comme ça. Et qu'elle est bien chez elle. Même si elle n'a personne à qui parler toute la journée. Sauf quand on revient de l'école. Des fois elle me fait de la peine. Je me dis qu'elle serait mieux dans le village. Avec ses sœurs, sa mère, ses cousines. Mais

elle doit suivre son mari. C'est comme ça. C'est normal.
Alors elle s'occupe. Je veux dire qu'elle fait comme les
autres. Elle fait le ménage. Pour les femmes, le travail
commence très tôt le matin. Dès que les hommes
sortent. D'abord, elles envoient les enfants à l'école.
Parce que maintenant, c'est l'école pour tous, et tous à
l'école. Pas comme avant. Ensuite, elles sont tranquilles.
Parce que les enfants ne sont pas là pour les embêter.
Elles en profitent. Comme ça, quand les hommes
reviennent, tout est propre. C'est très important la
propreté. Ma mère essuie le par-terre tous les jours.
Quand elle a tout fini, elle va au marché. Il y a des femmes
qui ne sortent pas. Même pas pour faire le marché. C'est
les enfants qui vont acheter ce qui manque chez le
Mozabite. Mais ma mère est obligée de faire les courses
parce que mon père est occupé toute la journée. Avant
de sortir, elle met son haïk. Elle se couvre le visage avec
la voilette. En marchant, elle tient son haïk d'une main.
De l'autre, elle porte son couffin. Elle dit toujours que
ce n'est pas très facile de marcher de cette façon dans
la rue. Surtout quand il pleut ou qu'il y a du vent. Mais
il faut bien. Et après, c'est l'heure de la cuisine. À partir
de onze heures, toutes les femmes sont dans leur cuisine.
Et toutes les odeurs s'échappent pour venir se réfugier
dans les escaliers. Elles se mélangent, et plus on monte,
plus on a faim. Quand je dis ça, Hamid se moque de
moi. Il dit que j'ai du flair. Il dit que c'est normal que
j'aie du flair parce que je ressemble à un sloughi. C'est
le surnom qu'il m'a donné. Parce que je suis très grand
et très maigre. Depuis l'année dernière, je n'arrête pas
de grandir. Je grandis, mais je ne grossis pas. Pourtant,
maintenant que mon père est entré dans le Parti, on
mange très bien. Je suis plus grand que tous mes copains.

Même ceux qui sont plus âgés que moi. Au fond, je crois qu'il est jaloux parce que c'est l'aîné et que je le dépasse. Mais ce n'est pas ma faute. C'est la croissance. J'ai perdu mon enfance. Il y a plein de choses qui changent quand on perd son enfance. C'est comme les serpents quand ils changent de peau. Ils laissent quelque chose derrière eux qui ne leur sert plus à rien. J'aimerais être un serpent et pouvoir me glisser partout. Dans les autres appartements. Pour voir l'intérieur des femmes. Je sais comment c'est fait un corps de femme. Parce que j'ai déjà vu des femmes toutes nues. Quand j'allais au hammam avec ma mère. Mais dès qu'on commence à grandir, on ne peut plus rester avec les femmes. C'est normal. On ne peut plus se mélanger. On n'est plus autorisé à rester avec les femmes, quand on devient un homme. Les garçons deviennent des hommes quand ils ne peuvent plus aller au hammam avec leur mère. Mais on continue à ressortir les images de notre mémoire. Et elles défilent quand on essaie de dormir la nuit. On ne peut pas s'empêcher. Et parfois j'ai honte quand ma mère fait mon lit le matin. Mais elle ne dit rien quand elle voit les taches sur les draps. Je ne sais pas si c'est pareil pour les filles. Il n'y a pas beaucoup de femmes ou de filles qui m'intéressent dans l'immeuble. Elles sont trop vieilles. Ou trop jeunes. Ou alors c'est les sœurs des copains. Ce n'est pas intéressant. Je commence à connaître presque tous les locataires de notre bâtiment. Ceux qui sont arrivés en même temps que nous. Et ceux qui sont arrivés après. Les autres, ceux qui habitaient là avant l'Indépendance, il n'y en a pas beaucoup. Quatre ou cinq familles, je crois. Elles sont encore là. L'immeuble était surtout occupé par des Français. Notre vieille Française, madame

Moreno, habite au premier étage du bâtiment C. Je dis
« notre », parce tout le monde l'aime bien. C'est comme
la grand-mère de tous ceux qui habitent l'immeuble.
Quand on la rencontre dans les escaliers, elle a toujours
des bonbons et un mot gentil pour nous. Les autres sont
tous partis. Ils sont rentrés chez eux. En France. Il y en
a d'autres qui sont venus les remplacer. Des coopérants.
Il y en a beaucoup au lycée. Ils disent tous qu'ils sont
contents d'être là. Nous aussi on est contents. On les
aime bien. On n'est plus des ennemis. Parce qu'il y a
eu des accords. On a signé pour la paix. C'est mon père
qui m'a expliqué. C'est comme dans l'immeuble. Un
jour les femmes se disputent. Le lendemain elles sont
ensemble. Et des fois, ensemble contre d'autres voisines.
Il y a des clans. Tout dépend des régions d'où elles
viennent. Les Sétifiennes contre les Oranaises. Les
Djidjelliennes contre les Tlemcéniennes. Est contre
Ouest le plus souvent. Et des fois Arabes contre Kabyles.
Et les enfants font la même chose. C'est normal. Ils
répètent ce qu'ils entendent. Ma mère ne se mêle
jamais à toutes ces histoires. Elle dit que c'est très mal.
Qu'on devrait être une grande famille. Parce que c'est
comme si on habitait dans une grande maison. On est
tous Algériens. Et notre maison, c'est l'Algérie.
L'immeuble, c'est comme un *haouch*. Une seule maison
avec beaucoup de familles. Sauf que là, on est les uns
sur les autres. Ou en dessous. En fonction de l'endroit
où on habite. Même si on ne se connaît pas bien, on
sait tout les uns des autres. Parce qu'il y a les bruits et
les odeurs. Avec les odeurs et les bruits on apprend
beaucoup de choses. Par exemple, au premier, c'est un
homme qui vit seul. Il est célibataire. Aucune odeur de
cuisine chez lui. Mais on entend souvent de la

musique américaine. Du rock et tout. Et des fois, il a des invités qui dansent et qui font beaucoup de bruit. J'ai entendu des voisines dire qu'il ramène des filles chez lui. La nuit. En cachette. On peut dire qu'il aime s'amuser. Au quatrième, on sent souvent la viande grillée. C'est la preuve odorante de leur argent. Parce que la viande est chère. On ne peut pas en manger tous les jours si on n'a pas beaucoup d'argent. Ce n'est pas comme les sardines. Tout le monde peut manger des sardines. C'est ce qu'il y a de moins cher. En plus, le marchand ambulant de sardines passe tous les jours dans la rue. Il s'arrête et il crie *« esserd… iiiine »*. On l'entend même du douzième étage. Alors toutes les femmes descendent ou envoient leurs enfants avec des cuvettes pour acheter un, deux, ou trois kilos de sardines. Tout dépend du nombre de bouches à nourrir dans la famille. Et dans les escaliers, l'odeur des sardines recouvre toutes les autres. Au septième, il n'y a personne de toute la journée. C'est un couple de Français. Monsieur et madame Couteau. C'est écrit sur leur porte. Ils travaillent tous les deux. On ne les voit presque jamais. Ils habitaient dans un village pas loin d'Alger avant l'Indépendance. Et ils ne sont pas partis avec les autres. Parce qu'ils ont aidé le FLN. C'est mon père qui me l'a dit. Je ne savais pas qu'il y avait des Français qui étaient avec nous pendant la guerre. Je veux dire de notre côté. Ils ont une petite fille. C'est la voisine d'en face qui la garde avec ses enfants. Le jour où madame Couteau est revenue de l'hôpital avec son bébé, toutes les voisines sont allées lui rendre visite pour la féliciter. Elles ont fait des gâteaux. Ma mère a fait de la *tomina* avec de la semoule, du miel et du beurre, comme on fait chez nous chaque fois qu'il y a une naissance. C'est normal. Au huitième, c'est nous. C'est là que je m'arrête. Quand je reviens du lycée à midi, tout est prêt. Quand ma mère m'ouvre la porte, je sais exactement ce qu'elle nous a préparé. Et comme mon père ne rentre jamais pour déjeuner, on en profite pour manger dans le salon. Autour de la table basse. Comme avant. Parce que, quand on a quitté notre village, ma mère a emmené notre *meïda*. Mon père n'était pas d'accord. Mais pour une fois, elle a réussi à le convaincre. Ma mère aime sa *meïda* ronde avec son bois lisse. C'est son grand-père qui l'a faite. On s'assoit autour, sur des matelas. Ma mère pose le grand plat au milieu et on mange tous ensemble. Et après, je l'aide à débarrasser la table pendant que Hamid s'enferme dans la salle de bains. Mon père préfère manger sur la table de la salle à manger. Avec une assiette pour chacun. Depuis qu'on est à Alger, il a beaucoup changé. Été comme hiver, il porte des costumes avec chemise et cravate. Ma mère ne sait pas faire les nœuds de cravate. Alors il a appris tout seul. Mais elle lave et repasse très bien ses chemises. Il dit que nous devons prendre les habitudes et les manières des citadins. Il veut nous élever. Donc on s'assoit sur des chaises. On mange avec des fourchettes. On passe à l'inspection avant de sortir. Il nous met presque au garde-à-vous. Comme à l'armée. Surtout pas de boutons qui manquent, pas de taches ou de trous dans les vêtements ! Sinon il s'énerve. Et c'est ma mère qui trinque. Pourtant elle fait tout ce qu'elle peut pour nous. En rentrant, il ne nous dit pas bonjour. Il nous demande tout de suite si on a fait nos devoirs. Et avant de nous envoyer au lit, il passe en revue les cartables. Pour voir si tout y est. Cahiers. Livres. Trousses. Feuilles doubles. Il vérifie les carnets de correspondance. Il a l'œil à tout. Parfois il nous parle de lui. Il nous raconte que son père ne l'a pas laissé aller au collège après son certificat d'études primaires. Il avait besoin de lui pour travailler la terre. Mais il travaillait très bien à l'école. Il avait les meilleures notes. Il aurait pu réussir très facilement. Hamid dit qu'on peut raconter ce qu'on veut quand c'est du passé. Personne ne peut vérifier. Moi je pense qu'il veut qu'on suive son exemple. Et qu'on a de la chance que la guerre soit finie. En prison, mon père a beaucoup appris. Il y avait avec lui des prisonniers plus instruits, qui donnaient des cours. Des cours de français, d'arabe, de mathématiques et de sciences. Ils arrivaient à étudier sans livres. C'était comme une école. C'est là qu'il a appris l'arabe. Nous, on n'apprenait pas l'arabe à l'école primaire. On a commencé l'année dernière seulement. Parce qu'on doit apprendre notre langue nationale. Mais je connais mieux le français. L'arabe qu'on apprend à l'école n'est pas exactement le même que celui qu'on parle à la maison. C'est plus difficile. Mais mon père dit que nous devons reconquérir notre langue. Par tous les moyens. Il faut que la Révolution continue. Par tous les moyens. Je comprends maintenant pourquoi il ne voulait pas rester au village. Parce que, s'il était resté, il serait aux champs. Comme son père. Et nous, on aurait fait comme lui. On serait des paysans. Mais s'il n'y a plus de paysans, qui va cultiver la terre ? Notre professeur de géographie dit que l'agriculture est un secteur vital pour un pays. Ce qui veut dire que c'est très important pour vivre. Moi je crois qu'il faut choisir. Il y a ceux qui aiment la terre et ceux qui aiment les études. À la télévision ils disent: «La terre à ceux qui la travaillent.» Moi je dirais: la terre est à ceux qui l'aiment. Je ne sais pas ce que j'aurais fait s'il m'avait laissé choisir. Parce que j'aimais beaucoup vivre et courir dans les champs. Mais ce n'est pas la même chose que travailler. Je sais. Mon père aime les études. Alors il a choisi. Et maintenant il va s'inscrire à l'université pour suivre les cours du soir pour les moudjahidine. On le verra encore moins souvent. Hamid dit qu'une journée sans père ne le dérange pas du tout, bien au contraire. Et qu'on est plus tranquilles quand il n'est pas là. Parce qu'il trouve qu'il est trop dur. Trop dur avec nous. Trop dur avec ma mère. Ils ne se parlent presque pas. Ma mère n'a jamais posé les pieds dans une école. Comme toutes les filles du village. Mais ça ne veut pas dire qu'elle ne sait rien. Au contraire. Elle s'est débrouillée toute seule quand il n'était pas là. Après la mort de mon grand-père, elle a dû travailler. Parce que mon père était en prison. Elle allait faire des ménages chez des Français qui habitaient dans le village. Elle était obligée. C'est là-bas, chez eux, qu'elle a appris quelques mots de français. En plus, elle allait aux champs. Sinon, on n'aurait pas pu. Toutes ces histoires-là, mon père dit que c'est du passé. Il ne veut pas qu'on en parle. Ni entre nous, ni avec les autres. Mais quand il n'était pas là, on vivait presque normalement. Et nos vêtements étaient propres. Jamais déchirés. On avait de quoi manger. Pas beaucoup, mais on n'avait pas faim. Ce n'était pas la misère comme dans *Les Misérables*. C'est à l'école que j'ai appris qu'il y avait des Français misérables en France. C'est même pour cette raison qu'ils ont fait la Révolution. Il y a toujours un moment où on ne peut plus supporter la misère. Chez nous, au village, on ne voyait pas de Français misérables. Ils étaient tous bien habillés. Ma mère a aidé la Révolution, elle aussi. Elle a transporté des armes pour les moudjahidine. Elle a même tenu tête à des militaires français pendant les rafles. Je m'en souviens encore aujourd'hui. Et puis elle nous parle beaucoup. Elle nous écoute. Elle est peut-être illettrée, mais elle n'est pas ignorante. Parce que ce n'est pas la même chose. Ceux qui ne sont jamais allés à l'école peuvent apprendre la vie ailleurs que dans les livres. C'est ce qu'elle dit. Elle nous protège, aussi. Quand on se bagarre ou qu'on fait des bêtises, elle ne raconte pas tout à mon père. C'est simple, elle se tait devant lui. Elle ne prononce jamais son nom. Quand elle nous parle de lui, elle dit : votre père. Quand elle parle de lui avec d'autres personnes, elle dit : le père de mes enfants. C'est pour montrer qu'elle le respecte. Quand il est là, on ne dirait pas que c'est la même femme. Elle garde ses histoires, ses rires et ses baisers pour nous. Pour Hamid et moi. Je crois que, même si elle lui parlait, il ne l'écouterait pas. Le jour où elle a dit devant lui qu'elle préférait Ben Bella à tous les autres chefs de la Révolution, il a haussé les épaules. Avec un air méprisant. Comme si elle ne pouvait pas savoir. Parce qu'elle n'est pas instruite. Il aime beaucoup ce mot. Instruit. Il prononce le mot INSTRUCTION avec des majuscules dans la voix. Mais quand une voisine a proposé à ma mère d'aller avec elle aux cours d'alphabétisation ouverts le soir dans le collège tout près de la maison, elle n'a pas osé lui demander l'autorisation. Elle disait : je connais la réponse. On ne pose pas les questions dont on connaît d'avance les réponses. Elle ne s'était pas trompée. Parce que c'est moi qui ai parlé. J'ai attendu qu'il n'ait pas sa tête des mauvais jours. Un soir, après le repas, j'ai glissé, l'air de rien : et si Maman allait suivre les cours pour apprendre…? Il ne m'a même pas laissé finir ma phrase. Il m'a demandé de m'occuper de mes cours à moi. Et il s'est levé pour aller dans la chambre. Quelquefois, la nuit, je les entends. Un mur sépare leur chambre de la nôtre. Mon père grogne. Plusieurs fois. Le lit grince. Plusieurs fois. Et puis mon père laisse échapper un Ah. Très bref. Comme s'il était surpris. Et c'est tout. Ma mère continue à se taire. Quelques instants plus tard, elle se lève. Elle ouvre doucement la porte. Elle va dans la salle de bains. Elle s'enferme. Il y a des bruits d'eau. Puis elle revient dans la chambre. Ils croient qu'on dort. Mais, depuis quelques mois, j'ai du mal à m'endormir. Il y a trop d'images qui se mélangent dans ma tête. Trop de questions sans réponse. Trop d'envies. J'ai l'impression que tout est embrouillé et qu'il y a un grand désordre dans mon cerveau. Je sais que Hamid ne dort pas, lui non plus. Et qu'il les entend, même s'il fait semblant de dormir. Alors je fais comme lui. Semblant de dormir. C'est mieux. Parce qu'on ne peut pas parler de ces choses-là. Ni avec un frère, ni avec les copains. Pourtant on en parle beaucoup entre nous. De ce que font les hommes avec les femmes. Et même certaines filles avec les garçons. Mais c'est plus rare. Et ces filles-là, on n'en voit pas beaucoup par ici. En tout cas pas dans notre immeuble. Ou alors je ne sais pas. Parce que les filles, elles veulent garder leur virginité. Toutes ces choses-là, c'est Hamid qui me les a expliquées. Parce que c'est l'honneur. Hamid, lui, il y est déjà allé. Il est allé aux filles. À la Casbah. Mais il ne m'a rien raconté. Je le sais par ses copains. Et parce qu'il m'a dit qu'il l'avait déjà fait. On dit faire l'amour. Mais je ne crois pas que ce que j'entends la nuit, et ce que racontent mes copains puisse toujours s'appeler ainsi.

Elle

On a changé d'adresse. On a changé de maison. Mais on est toujours dans le même immeuble. Maintenant on habite dans l'appartement de madame Lill. Et ce n'est plus la même adresse puisque notre rue s'appelle maintenant rue Belouizdad. Avant c'était la rue de Lyon. Lyon, c'est une ville de France. Mohamed Belouizdad, c'est un martyr de la Révolution. Comme mon père. Mais mon père n'a pas encore de rue. De rue à son nom. Peut-être que, dans son village natal, ils ont pensé à lui. On n'y va jamais. Mais je crois qu'il n'y a pas suffisamment de rues pour tous ceux qui sont morts. On a emménagé dans l'appartement d'en face. Parce qu'il est plus grand. Et surtout parce que madame Lill a dit à ma mère qu'elle ne voulait pas que d'autres que nous l'occupent. Elle lui a téléphoné et elles ont pleuré au téléphone. C'est difficile pour elles. Elles savent qu'elles ne vont plus se voir. C'est loin la France. Madame Lill a demandé à Maman de garder la télévision et la desserte de la salle à manger. Le reste est parti par bateau. C'est la sœur de madame Lill et Maman qui se sont occupées de tout. Madame Lill a laissé aussi un très beau coupon de velours rouge. Pour moi. Elle a dit qu'on devait le garder pour mon trousseau de mariage.

Pour qu'on me fasse un caraco brodé d'or. Elle m'aimait beaucoup. Parce qu'elle n'avait que des garçons. Elle disait qu'elle aurait bien aimé avoir une fille. Une petite fille avec mes cheveux. Et mes yeux. Moi, je déteste mes cheveux. Ils bouclent. Ils sont trop longs. Maman ne veut pas que je les coupe. Elle dit qu'une fille doit avoir les cheveux longs. Quand je serai majeure, je les couperai très court. Je dors avec Maman dans la chambre des garçons. Celle des fils de madame Lill. Et mes frères dans l'autre chambre. Et on a mis des canapés dans le salon. Pour la famille. Ceux qui sont de passage à Alger et qui restent des mois. En face, dans l'appartement qu'on occupait, il y a maintenant un couple de Français. Des coopérants. Lui, il est professeur de philosophie, et elle de physique. Mireille et Michel. Dommage qu'ils ne soient pas dans mon lycée ! Ils sont très gentils. Je vais de temps en temps chez eux pour qu'ils m'expliquent des leçons. Et quelquefois, le dimanche, ils nous emmènent, mes frères et moi, à la plage, dans leur voiture. Ils disent qu'on a un très beau pays. Et un soleil tellement grand qu'ils le retrouvent dans les sourires et dans les cœurs. Maman leur fait goûter certains de nos plats. Comme elle le faisait avant pour madame Lill. J'aime aller chez eux parce qu'ils ont beaucoup de livres. Michel me conseille, et il m'en prête certains. Qui n'ont rien à voir avec ceux que je lisais l'année dernière. Il y en a que j'aime bien. Et d'autres, pas du tout. Parce qu'ils sont trop difficiles, trop tristes. Trop sérieux. Quand je les lis, j'ai l'impression que tout s'assombrit autour de moi. J'ai l'impression de m'enfoncer dans un tunnel sans pouvoir arriver à retrouver la lumière. La lumière, je la découvre dans les livres de poésie. Là où des mots se rencontrent comme par hasard, des mots qui ne sont pas faits l'un pour l'autre, qui font leur chemin ensemble et nous invitent à voyager avec eux. Moi aussi j'écris des poèmes. Mais je ne les montre à personne. Michel m'a fait découvrir un écrivain algérien. Il s'appelle Mohammed Dib. J'ai beaucoup aimé *La Grande Maison*. Ça m'a fait penser à l'immeuble, avec les voisines. Je ne savais pas qu'il y avait des Algériens qui pouvaient écrire de cette façon en français. Au lycée on étudie la littérature française. Je veux dire, celle qui est écrite par des Français. Cette année, dans mon lycée, on a plein de professeurs coopérants. Des Français surtout. Il y en a aussi qui sont venus des pays frères. Des Russes et des Bulgares. Ils enseignent les matières scientifiques. Pour les autres matières, ils ne peuvent pas. Parce qu'ils ne parlent pas bien français. Mon professeur de mathématiques, par exemple, il a dit à Myriam qu'elle ne réussirait jamais parce qu'elle était toujours « couchée avec lui » et qu'elle ne s'intéressait pas à son cours ! Il voulait dire qu'elle dormait pendant la leçon. Il n'a même pas compris pourquoi toute la classe a éclaté de rire. Il y a aussi des Égyptiens, pour les cours d'arabe. Mais ils s'énervent souvent. Parce qu'on ne comprend pas facilement ce qu'ils disent. Leur arabe n'est pas le même que le nôtre. Ils ont un drôle d'accent. Nous, on préfère ceux qui viennent de France. Parce qu'on les comprend mieux. Ils sont venus pour nous aider. Nous aider à construire le pays. Ils disent qu'on a de la chance. Que tout est à faire chez nous. Parce que chez eux, en France, tout est fait. Bien sûr, ils n'ont pas été colonisés, eux. Jamais. Sauf pendant la guerre mondiale. Mais c'était autre chose. Ils étaient seulement occupés par l'armée allemande. Et comme nous, ils se sont battus. Ils sont montés dans les maquis pour leur liberté. Comme nous. Mon oncle s'est, lui aussi, battu contre les Allemands. Pour la liberté de la France. Il a été blessé en Italie. À Monte-Cassino. Puis fait prisonnier dans des camps de travail. Il a eu une médaille. Et il est revenu. Il nous a raconté qu'il avait reçu une balle dans l'épaule. Et qu'ils ont mis des jours et des jours pour l'enlever. Il est invalide. Il a une pension. Ma mère aussi reçoit une pension. Une pension de veuve de guerre. Elle touche également des allocations familiales. Mais même en additionnant les deux, ça ne fait pas beaucoup. Elle remplit tous les jours des tas de papiers. Elle va dans les bureaux pour régler tous les problèmes administratifs. Presque tous les matins. Quand elle revient, elle est fatiguée. Et très malheureuse. Elle s'assoit sur le canapé et elle pleure. Elle dit que c'est dur d'être seule pour élever quatre enfants. De les habiller. Les nourrir. Puis elle se lève. Et elle va dans la cuisine pour nous faire à manger. Mais elle ne se plaint pas tout le temps. Et quand les voisines viennent à la maison, elle rit. Elles se racontent des histoires. Elles parlent surtout de leur mari. Et de leur belle-mère. Elles croient que je ne les entends pas. Alors elles se disent des choses que les enfants ne doivent pas savoir. Il y a toujours des voisines chez nous. Parce que c'est une maison sans homme. C'est ce que dit ma mère. Et sans homme, on est plus libre de rire. De parler. Et même si on est en retard pour le déjeuner, ce n'est pas grave. Et puis, on habite au deuxième étage. Alors, en revenant du marché, elles font une pause chez nous. Une escale avant de monter. L'autre jour, Zohra, la Sétifienne du quatrième, s'est arrêtée chez nous avec ses paniers. Elle s'est laissée tomber sur le canapé. Il faisait très chaud. Elle transpirait. Alors elle

a dit : je rigole de partout. Ma mère n'a pas osé rire
devant elle. Zohra ne sait pas très bien parler français.
Mais avec ma mère, elle se permet. Parce que ma mère
est instruite. Elle a son certificat d'études primaires.
C'est elle qui remplit tous les dossiers pour les gens de
l'immeuble. Elle lit les lettres qu'ils reçoivent. Elle en
écrit aussi pour eux. Elle aurait même pu travailler. Mais
mon grand-père n'a pas voulu. Aussi on vit modestement. Nous sommes pauvres, mais fiers. Et heureux.
Mais pas farouches, parce qu'il y a toujours beaucoup
de monde chez nous et on partage tout ce qu'on a. Même
quand on n'a pas grand-chose à manger. La seule chose
qui compte, dit ma mère, ce sont les études. Elle veut
qu'on aille jusqu'au bout. Jusqu'au bout de nos études.
Elle le veut farouchement. Mohamed dit qu'il sera
médecin. Amine veut être un grand sportif couvert de
médailles d'or. Il court très vite. Après les cours, il va
s'entraîner au stade du Ruisseau. Juste à côté. Mais
avant, il faut que tu finisses tes devoirs, lui dit Maman.
Samir ne parle pas beaucoup. Il dit qu'il ne sait pas ce
qu'il veut faire plus tard. Il a de mauvaises notes partout,
sauf en dessin et en musique. Je sais qu'il aime la
musique. Les chansons anglaises et américaines. Genre
Elvis et les Beatles. Il essaie de se coiffer comme eux,
de laisser pousser ses cheveux. Mais c'est interdit au
lycée. L'autre jour, son professeur d'arabe lui a collé un
chewing-gum dans les cheveux. Pour l'obliger à les
couper. Ma mère lui a dit : c'est bien fait pour toi. Elle
est toujours du côté des professeurs. On n'a pas de
tourne-disques à la maison, et on se dispute l'unique
transistor. Moi je préfère les chansons françaises. *Salut
les Copains* et tout. Et surtout Françoise Hardy. Les paroles
de ses chansons expriment le plus profond, le plus secret

de mon âme. Elle sait trouver les mots. Elle chante l'amour. L'amitié. La solitude. La trahison. Quelquefois, en l'écoutant, je pleure. Parce que personne ne peut comprendre ce que je ressens. Je n'ai qu'une amie. Myriam. Elle habite loin. Je n'ai pas le droit d'aller chez elle. Ma mère ne veut pas que je sorte. Sauf pour aller au lycée. Et comme il y a d'autres filles de l'immeuble qui vont au même lycée que moi, on y va toutes ensemble. Et on revient ensemble. Si je tarde un peu, elle est au balcon. Elle ne me permet pas de traîner dans les rues. Elle dit que je dois faire deux fois plus attention parce que je n'ai pas de père. Attention à quoi ? Elle répond : plus tard, tu comprendras. Je sais pourquoi. Et je sais qu'elle ne peut pas en parler. Parce qu'une mère ne peut pas parler de ces choses-là. Pas avec sa fille. Encore moins avec ses fils. Le jour où j'ai eu mes règles, j'ai eu très peur. Parce qu'elle ne m'avait rien expliqué. Quand j'ai vu le fond de ma culotte taché de sang, je suis sortie des toilettes et je l'ai dit à Maman. Il y avait mes frères. Maman m'a vite entraînée dans la chambre. Elle m'a dit que je ne devais pas en parler devant eux. C'est des choses qui ne regardent que les femmes. Et elle m'a annoncé que j'étais devenue une femme. Elle m'a donné une serviette hygiénique. En me demandant de ne pas la laisser traîner dans la salle de bains. Et de la laver toute seule. Avec du savon de Marseille. Et c'est tout. Mais mes cousines m'ont tout expliqué. C'est vrai que mes seins ont commencé à grandir. J'ai des petites boules très dures sur la poitrine. Ils me font mal quand je les touche. Ou quand je me cogne à quelqu'un en cours de sport. Mais je ne dois pas montrer que j'ai des seins. Je sais que les garçons deviennent des hommes le jour de leur circoncision. J'ai entendu les femmes le dire à Samir et Amine le jour où on les a circoncis. J'étais encore petite, mais je m'en souviens très bien. Je croyais que, quand ils se relèveraient, ils allaient grandir d'un coup. Elles leur déposaient des billets sur les genoux et disaient à chacun d'entre eux : tu es un homme maintenant. On a fait une grande fête ce jour-là. Les femmes ont lancé des youyous quand ça a été fini. Maman a emmené les petits bouts de chair qu'on leur avait coupés dans des serviettes remplies de fleurs de jasmin. Elle les a cachés. Après elles ont dansé. Ma mère a fait du couscous et des gâteaux pour tout le monde. Ils ont reçu plein de cadeaux. Je me demande pourquoi on fait une fête pour les garçons, et rien pour les filles le jour où elles deviennent des femmes. On dirait que c'est honteux de devenir une femme. Alors, quand j'ai eu mes règles, je suis allée regarder dans un dictionnaire médical. En cachette, bien sûr. Sur celui que Mohamed a acheté au marché de Belcourt. C'est là qu'on trouve les livres maintenant. Les hommes ont une verge et des testicules, et les femmes, des lèvres et un morceau de peau très fin et très fragile dans l'appareil génital. On l'appelle l'hymen. C'est l'autre nom de la virginité. Un petit bout de peau qui doit rester intact jusqu'au mariage. Sinon c'est grave. Pour toute la famille. C'est très important. Parce que, s'il se déchire, on ne peut pas se marier. Le soir des noces, on ne peut pas montrer la «chemise». Quand l'homme entre dans la chambre pour honorer la mariée. Le jour du mariage de Fatiha, la jeune sœur de Maman, tout s'est passé très vite. À dix heures du soir, le marié est entré dans la chambre nuptiale. Il a refermé la porte. Au bout d'une demi-heure, ses copains sont venus frapper à la porte en l'appelant. Parce qu'ils étaient impatients de voir. Il y avait sa mère avec eux. Alors il a ouvert et il a jeté la combinaison de la mariée. C'est ma tante, l'aînée des sœurs, qui a dansé avec. En la tenant des deux mains au-dessus de sa tête. Pour qu'on voie bien. Dessus, il y avait des taches et des traînées de sang. Et toutes les femmes ont poussé des youyous. Elles ont dit qu'elle avait été « soulagée ». Mais ça doit faire mal. Puisqu'on saigne. Moi, quand je me marierai, j'irai loin. Très loin. Pour qu'on ne me le fasse pas. Et je n'épouserai pas quelqu'un qu'on aura choisi pour moi. Mais bien sûr je ne me donnerai qu'à celui qui saura m'aimer. À celui qui sera mon mari. Pour le meilleur et pour le pire. J'espère qu'il y aura surtout le meilleur. Que nous pourrons ensemble affronter les tourmentes et les blessures de la vie. Et que les épreuves nous rendront plus forts. Comme dans les livres. Sinon ce n'est pas la peine de se marier. Fatiha n'a pas souri une seule fois le jour de son mariage. Pourtant elle était très belle. Elle portait de très belles robes. Mon grand-père l'a mariée avec un militaire. Je les ai entendus dire qu'il ne pouvait pas refuser. Sinon ils auraient eu des ennuis. Les militaires sont des héros. On ne peut rien refuser à un héros. Pas même les biens les plus précieux. La preuve, c'est que les femmes vont déposer leurs bijoux et leur argent pour la solidarité. Maman n'a rien donné. Parce qu'elle n'a pas de bijoux. Ceux qu'elle avait, elle les a vendus l'année dernière pour nous acheter des fournitures scolaires. Mais les autres femmes, même si elles n'en ont pas beaucoup, ont tout donné au président. Dans son discours, à la télévision, il a dit qu'on avait décidé de créer une caisse de solidarité. Cette caisse s'appelle le Fonds national de solidarité. Pour que l'Algérie puisse commencer à fonctionner. Parce que l'État est trop jeune pour pouvoir se nourrir tout seul. Et depuis que les Français sont partis, on n'a plus d'argent dans les banques. Ils ont tout pris. Donc on n'a pas d'argent pour les écoles, les constructions et tout. Alors Maman est allée tenir un bureau à la mairie. Les femmes faisaient la queue pour donner tout ce qu'elles pouvaient donner. Même celles qui n'avaient pas grand-chose ont participé à «l'élan de solidarité». On les a fait parler à la radio. Elles disaient toutes qu'elles étaient heureuses de participer à la construction du pays. Ma grand-mère a donné des louis d'or. Tous ceux qu'elle avait depuis très longtemps. Ceux qu'elle gardait pour les coups durs, m'a dit Maman. Il y avait des caisses remplies de bijoux en or et en argent. Ils venaient de partout. De toute l'Algérie. Aux informations télévisées, ils ont dit que ces contributions spontanées montrent au monde entier la solidarité et l'esprit de sacrifice du peuple algérien. On donne tout ce qu'on a parce qu'on veut tous avancer sur la voie du progrès et du développement. Par le peuple et pour le peuple. Sinon rien.

Lui

Ça recommence. Et mon père est parti. Il est reparti
à la guerre. Et avec lui, beaucoup d'autres hommes.
C'est la mobilisation générale. On entend partout des
chants patriotiques. Dans les mairies. Dans les écoles.
Dans les magasins. Dans les stades où les hommes vont
se porter volontaires. Cette fois-ci, on n'entend pas de
coups de feu dans la ville. Parce que la guerre se déroule
très loin de nous. Très loin d'Alger. À des milliers de
kilomètres. On voit passer de jour comme de nuit des
camions remplis d'hommes avec des fusils. Ils vont à
la guerre en chantant. Pour défendre le pays. Pour
défendre la patrie. Ça se passe dans le désert. Au Sahara.
Les Marocains ont franchi les frontières pour nous
envahir. Leur roi veut prendre une partie de l'Algérie.
Mais cette terre est à nous. Elle est arrosée du sang des
martyrs. C'est ce qu'a dit le président dans son discours
à la télévision. Il a répété trois fois : *Hagrouna ! Hagrouna !*
Hagrouna ! Pour dire qu'ils ont profité de notre faiblesse.
Et il a expliqué. C'est parce qu'on vient à peine de sortir
de la guerre. On n'a pas encore fini de panser nos
blessures. On n'a pas d'avions. On n'a pas suffisamment
d'armes. Pas suffisamment d'hommes. Avec tous ceux
qui sont morts à la guerre, c'est normal. Il a dit qu'on

avait lâchement agressé un pays affaibli et meurtri. Quand elles l'ont entendu parler, les femmes se sont mises à pleurer. Et on a sorti les drapeaux. On les a mis sur les balcons. On a crié : « Vive l'Algérie ! » Tous ceux qui sont revenus de la guerre, il y a un peu plus d'un an, veulent repartir pour cette autre guerre. Ils veulent mourir pour la patrie. Même Hamid veut défendre le pays. Il a dit à mon père : je pars avec toi. Ma mère s'est mise à pleurer. Je me demande quand les femmes arrêteront de pleurer. Pour leurs fils. Pour leur mari. Pour leurs frères. Mon père a dit à Hamid : passe ton bac d'abord. Il va passer son bac l'année prochaine. J'espère que la guerre sera finie avant. Je n'ai pas envie de faire la guerre. Mais je crois bien que je suis le seul. Ou alors personne ne veut le dire. Surtout pas devant les autres. Tous mes copains ne parlent que de ça. Notre nouveau professeur d'histoire-géographie nous a expliqué la situation. D'abord il a dessiné au tableau la carte de l'Algérie. Il nous a parlé des frontières. Il a écrit la définition du mot « frontière » au tableau : tracé des limites territoriales d'un pays. Moi, je n'ai jamais vu de frontières. Je connais la forme de certains pays, mais je ne sais ni comment, ni qui les a dessinés. Il y a des formes très bizarres, c'est vrai. Si on penche un peu la tête à droite, la France ressemble à une tête de vieillard avec une barbichette et un turban. Je le sais parce que, avant, on n'avait que des cartes de France accrochées au tableau. Quand j'étais à l'école primaire. Et on devait les dessiner sur les cahiers. Avec du marron pour les montagnes. Et du vert pour les plaines. Et du bleu tout autour. Pour la mer. Je ne sais pas comment c'est fait, une frontière. Il y a peut-être des murs très hauts. Si hauts que personne ne peut les escalader. Ou bien des barbelés. Des milliers de kilomètres de barbelés. Mais lui, il a dit que c'était une ligne imaginaire qui séparait les pays. Là, c'est le Maroc et là, c'est l'Algérie. Et L'Algérie est plus grande que le Maroc et la Tunisie. Si c'est une ligne imaginaire, comment on peut savoir? Surtout dans le désert. Tu marches, tu marches, tu marches, et tu es dans un autre pays. Parce que le désert est partout le même. Du sable et des montagnes. Et même si on rencontre quelqu'un, on ne peut pas savoir s'il est marocain, algérien ou tunisien. Parce qu'on se ressemble. Et qu'on parle la même langue entre nous. Le professeur nous a expliqué que c'était pour que chacun sache où commence et où s'arrête son pays. Les présidents et les rois se mettent d'accord et ils signent des papiers. Je ne sais pas qui a décidé et signé pour nous. Puisque avant, on n'avait pas les mêmes chefs. On ne pouvait pas décider nous-mêmes. C'est très compliqué. J'ai eu peur de paraître trop bête en posant la question. Alors je n'ai rien dit. Et puis il a parlé des ressources minières. Des gisements de fer. Il a dit que l'Algérie est un pays riche. On a du fer. On a du gaz. On a du pétrole. On est plus riches que les pays voisins. C'est pour cette raison qu'ils sont jaloux. Jusqu'à ces derniers jours, c'étaient des pays frères. Mais même les frères peuvent être jaloux. Alors ils se battent. Il a dit que, si le Maroc voulait prendre une partie de notre pays, c'était à cause du fer. Des minerais de Gara Djebilet, dans le bassin de Tindouf. Il nous a expliqué les mots comme souveraineté. Inviolabilité. Conventions inter-nationales. Mais les copains ne l'ont pas écouté. C'étaient des mots trop compliqués. En plein milieu du cours, ils se sont mis à chanter *Kassamen*. Et ils ont entraîné tous les autres. On ouvrait les portes des classes et on

disait aux élèves de sortir. On a même fait sortir les
élèves de sixième. On s'est rassemblés dans la cour. Le
directeur voulait nous faire rentrer mais personne ne
voulait lui obéir. Il courait dans tous les sens. Mais il ne
pouvait pas nous empêcher de chanter « *Djazaïrouna* »,
le chant de notre Algérie. Les grands lui ont dit: ce n'est
pas un chahut de gamins. C'est pour dire qu'on aime
l'Algérie. On ne veut pas rester assis les bras croisés
pendant que les hommes meurent. On l'a même obligé
à saluer le drapeau. Et il est resté sous le préau à nous
regarder. On s'est alignés en colonnes. Et on a défilé.
Salut militaire et pas cadencé. Une! Deux! On a fait
comme on pouvait. On n'était pas entraînés. On a fait
plusieurs fois le tour de la cour. Quelques-uns voulaient
sortir dans la rue. Mais le directeur a fermé les portes.
Alors tout s'est terminé dans le désordre le plus total.
Mais on a bien rigolé. Et on avait réussi à faire sauter
deux heures de cours! Quand j'ai raconté à ma mère
ce qu'on avait fait, elle m'a dit: ce n'est pas ainsi que
vous pouvez aider le pays. Au contraire. Je crois qu'elle
a raison. Mais depuis qu'on est tout petits, on est dans
la guerre. Alors on a besoin de s'amuser de temps en
temps. Le lendemain, quand je suis revenu au lycée,
on m'a dit que des élèves avaient signé pour de bon.
Qu'ils étaient allés s'engager. C'étaient tous des élèves
de terminale. Ça va faire encore des mères qui pleurent.
Et peut-être des morts en plus et des savants en moins.

Elle

« Il faisait beau dans mon rêve.
Et nous étions deux
Nous tenant par la main.
Notre plage était bleue.
Mon soleil au zénith
avait la couleur de mon amour.
Nous courions.
Nous nous tenions par la main.
Et sous chacun de nos pas,
Dans le sable,
Naissait une fleur.
Ombre et velours
Fleur de nuit
Au cœur du jour
Me disais-tu
T'en souviens-tu ? »

Je ne sais pas du tout à qui s'adressent ces lignes que j'ai écrites sur mon carnet. Certainement à celui qui viendra un jour habiter mes rêves. J'ignore qui il est, ce qu'il fait en cet instant. Mais je sais qu'il existe. Forcément. Et qu'il les lira un jour. Je pense très souvent à celui qui sera mon aimé. Mon seul, mon unique amour. Il doit bien être quelque part dans le monde.

Peut-être pas très loin. Je sais que je devrais penser à autre chose. À mes études, par exemple. Mais je ne peux pas m'empêcher de rêver. D'écrire. De laisser voguer mon imagination des heures durant. De franchir les frontières et de m'inventer des vies. En ce moment, tout m'indiffère. Tout m'énerve. Heureusement que j'ai des livres. C'est ma seule consolation pour les jours trop sombres. Quand j'ouvre les pages, c'est comme si je m'embarquais sur un tapis volant. Très haut, très loin. Mais quelquefois le débarquement est difficile. Parce qu'il y a les autres. Mes frères. Ma mère. La famille. Tous ceux qui restent en bas, qui font de grands signes et m'appellent pour que je revienne. Pour que je n'aille pas trop loin sans eux. Ils disent qu'ils veillent sur moi. Lilas, viens ranger la vaisselle ! Lilas, va chercher le sel, ou le sucre ! Lilas, viens mettre la table ! Lilas, reviens sur terre ! Et ils s'étonnent parce que je rechigne. Il faut que j'obéisse. Parce que je suis une fille. Je ne comprends pas ma mère. D'un côté, comme toutes les autres femmes de l'immeuble, elle se plaint d'être toujours au service des autres. D'abord de son père et de ses frères. Puis de son mari. Et maintenant de ses fils. De l'autre, elle veut que je sois comme elle. Mais moi, je ne veux pas être la fille qui se tait quand on lui dit ce qu'elle doit faire ! Qui se tait et qui obéit. Eux ne pensent qu'à mon bonheur. C'est ce qu'ils disent. Bien sûr. Je suis la petite dernière. La seule fille. Et j'ai quinze ans. Mais ils n'ont pas compris que je ne suis plus une fillette. Le bonheur dont je rêve peut-il être le même que celui qu'ils envisagent pour moi ? Je ne veux pas d'un bonheur qui devrait se satisfaire des désirs des autres. Je veux tracer moi-même les chemins de ma vie. Ne pas attendre qu'on me tende la main.

Alors je me suis fixé un but. Réussir. Pour ne pas avoir à dépendre des autres. Être libre et indépendante. C'est possible, puisqu'on continue la Révolution. On répète partout que les femmes ont des droits. On a fêté la journée des femmes, le 8 mars dernier. Il y a eu des meetings, des marches et même, paraît-il, des manifestations qui n'étaient pas prévues au programme. Et le président, notre ancien président, a promis aux femmes qu'un jour elles seraient les égales des hommes. Mais il n'a pas dit quand. Il y a même un des responsables du Parti qui a dit : les hommes ont leurs règles, et les femmes aussi. Très juste, ont relevé les journalistes qui ont rapporté cette phrase. C'était dans un discours et il paraît que personne n'a souri. D'ailleurs on ne rit pas beaucoup depuis quelque temps. C'est le même responsable qui a dit : avant nous étions au bord d'un gouffre et maintenant, grâce à Dieu, nous avons fait un pas en avant. Ce pas en avant, nous l'avons fait le 19 juin. À la radio et dans les journaux, on a dit que c'était un « Redressement révolutionnaire ». Mon oncle dit que c'est un coup d'État. C'est ce jour-là que le président Ben Bella a été mis en prison. Parce que ce n'était pas un bon président. C'est ce qu'on nous a dit, après. Pourtant tout le monde avait voté pour lui. Il a été remplacé par un Conseil de la Révolution. Avec à sa tête un raïs qui n'a pas l'air de rire très souvent. Il a un visage très sévère. Et les sourcils toujours froncés. C'est pour ça qu'on ne rit pas beaucoup. Je ne sais pas s'il va tenir les promesses de Ben Bella aux femmes. Mais c'est un héros de la Révolution. Il a promis de redresser le pays qui allait à la dérive. C'est comme un capitaine qui reprend le commandement du bateau pour l'empêcher de sombrer. On peut aussi appeler cette prise de pouvoir une mutinerie. Comme dans *Le Cuirassé Potemkine*. Mais pas pour les mêmes raisons. On n'est pas sur un bateau. J'ai beaucoup aimé ce film. Surtout la séquence où les habitants d'Odessa viennent soutenir les marins du cuirassé. Tout le public a applaudi à ce moment-là. Il y a même des femmes qui ont poussé des youyous. Avant la fusillade. Et tout le monde retenait son souffle pendant la scène du landau qui dégringole dans les escaliers du port. C'est le plus beau film du monde, nous a dit l'animateur des débats. Chaque film est suivi d'un débat au Ciné-pop. J'attends avec impatience la fin de la semaine pour y aller. C'est mon oncle qui nous y emmène dans sa voiture. Ce n'est pas un cinéma comme les autres. Chaque semaine un nouveau film est programmé. Pour la culture populaire. Les tickets d'entrée ne sont pas chers. La plupart des spectateurs entrent sans payer. Et ce sont des spécialistes du cinéma qui viennent nous expliquer le film. Des cinéastes et tout. J'ai même pu avoir des autographes. Celui de René Vauthier, par exemple. Mon oncle m'a dit que c'était Vauthier qui avait eu l'idée de ces séances. Avec d'autres. Mais c'est le plus célèbre, parce qu'il a fait des films sur l'Algérie. À chaque séance, il y a tellement de monde qu'on s'assoit quelquefois dans les allées, sur les escaliers. La salle est trop petite. Une fois même il y a eu un court-circuit. On a entendu des petites détonations. On a vu gicler des étincelles. Et toutes les lumières se sont éteintes. Et comme on a vécu la guerre, on a eu très peur. On a cru que c'était un attentat. Tout le monde criait. On essayait de sortir de la salle. Mais heureusement, ils nous ont rassurés. Ils ont tout de suite repris le contrôle de la situation. Ils ont réparé les câbles qui avaient trop chauffé. Et la projection a repris. Au Ciné-pop, on passe beaucoup de films russes. Et des films révolutionnaires. Celui que j'ai le plus aimé, c'est *Quand passent les cigognes*, avec Tatiana Samoïlova dans le rôle de Veronika. Maman et moi, on a pleuré pendant presque tout le film. Et toute la salle se passait des mouchoirs. Je me demande comment ils font. Je parle des acteurs. Quand on les voit sur l'écran, ils sont si vrais qu'on n'a pas l'impression qu'ils jouent un rôle. À la fin de la séance, ma mère m'a dit qu'elle avait eu l'impression de revivre le jour de sa séparation avec mon père. D'être Veronika. Ou de l'avoir été. Celle qui voit son amour s'en aller au loin pendant la guerre. La mort du fiancé, tué d'une balle en plein front, a ravivé la blessure de Maman. Et il y avait tout au long du film d'autres coïncidences. Elle aussi a été recueillie par les parents de mon père. Mes grands-parents. On a vécu quelque temps chez eux avant de nous installer à Alger. Mais elle n'a pas trahi mon père. Veronika, elle, s'est mariée avec Mark, le cousin de son fiancé. Maman n'a jamais pensé à refaire sa vie avec un autre homme. Avec quatre enfants, ça aurait été difficile. Et puis, dans notre famille, c'est impossible. On ne peut même pas l'imaginer. Une veuve avec des enfants ne peut pas penser à autre chose qu'à ses enfants. Avant d'être une femme, elle est d'abord, et seulement, une mère. Quand Maman me l'a expliqué, j'ai commencé par être contente. Parce que ça veut dire que jamais personne ne pourra remplacer mon père. Et que je me suis habituée à notre vie. À notre famille. S'il y avait un autre homme, ce serait un étranger. Mais après je me suis dit que ce devait être dur de vivre sans l'amour d'un homme. Sans son épaule pour être soutenue. Maman dit toujours qu'il faut « des épaules » pour obtenir quelque chose, maintenant. Et celui qui pouvait lui donner cette protection n'est plus là. Son amour est mort. Et tout s'est éteint avec lui. Maintenant elle doit oublier qu'elle est une femme. C'est sans doute pour cette raison qu'elle porte toujours les mêmes jupes, les mêmes tricots. Et qu'elle choisit des couleurs qui ne sont pas de vraies couleurs. Du gris, du noir et du bleu marine. Elle ne pense jamais à s'arranger ou à se maquiller. Même pas pour une fête ou un mariage. Je ne sais pas si moi je pourrais. Si je pourrais renoncer à être belle. Je ne veux pas dire que je me crois belle. Je veux simplement dire m'arranger, me faire belle. Elle n'était pas très vieille quand mon père est mort. Elle avait tout juste vingt-huit ans. Mais je n'avais jamais pensé à tout ça. Quand on est revenus, après la projection du film, elle m'a parlé. Pas devant mes frères. On est entrées dans la chambre. On s'est mises au lit et là, une fois la lumière éteinte, elle s'est mise à me parler. C'est la première fois qu'elle me parle de cette façon. Comme si elle s'adressait à une amie. C'est peut-être à ça que servent les films. Et aussi les livres. À ne plus se sentir seul. À ne pas rester enfermé dans ses problèmes, le cœur solitaire. Pendant qu'elle me parlait, j'avais le cœur serré. Je ne savais pas qu'elle avait autant souffert. À vrai dire, je ne m'étais jamais posé la question. Mon père était absent. C'est tout. J'avais mal quand je voyais les autres pères. J'étais jalouse quand je les voyais marcher dans la rue main dans la main avec leurs filles. C'était comme s'il m'avait abandonnée au milieu du chemin de la vie. Mais c'était à moi que je pensais. Rien qu'à moi. Jamais à ma mère. J'ai toujours senti qu'il nous manquait quelque chose, ou quelqu'un. Je me rends compte maintenant que, sans pouvoir mettre de mots sur ma souffrance, j'en ai voulu à mon père. Je lui en ai voulu d'être parti sans se soucier de nous. Quand on a des enfants, il faut penser à eux avant de penser à la Révolution. Mais faire la Révolution, c'est aussi penser à ses enfants, je le comprends maintenant. Et je me demande qui, dans ces cas-là, souffre le plus. Celui qui part ou celui qui reste. S'il y avait une autre guerre et que mon mari doive partir, appelé par le devoir, je serais très malheureuse. Surtout si je dois m'occuper seule de nos enfants. C'est trop dur. Mais ce qui compte le plus pour les hommes, c'est d'être des hommes. C'est-à-dire de montrer qu'ils ont du courage. De prouver qu'ils savent se sacrifier. Quand c'est nécessaire. Et rien n'est plus nécessaire que la liberté. Donc la lutte pour l'Indépendance est nécessaire. Les hommes n'ont pas peur. Les hommes ne pleurent pas. Alors nous, les femmes, il ne nous reste plus qu'à supporter, à prier et à attendre. Et à pleurer.

Lui

Elle s'appelle Lilas. Avant elle, je n'avais jamais entendu ce prénom. Normalement, chez nous, on dit Leïla. Des Leïla, il y en a beaucoup. Mais elle, c'est Lilas. Avec un s à la fin. C'est ce qu'elle m'a dit. Et c'est la seule Lilas du monde, je crois. Elle a dix-sept ans. Un an de moins que moi. Et des yeux à faire chavirer une flottille de cuirassés. Même en mer calme à peu agitée. Tout. Tout en elle me fait chavirer. Ses yeux. Son sourire. Sa voix. Sa façon de marcher. Sa façon de me faire signe de loin quand elle me voit. Et je ne veux même pas penser à son corps. Il vaut mieux ne pas. Dire que depuis des années on vit dans le même immeuble, dans le même bâtiment, et que jamais, non jamais je ne l'avais remarquée ! Je n'arrive pas à y croire. Tout ce temps perdu ! Elle habite là depuis plus longtemps que nous. Sa famille était déjà dans l'immeuble du temps des Français. Avant 1962. Toujours au deuxième étage. Porte droite. Pas dans l'appartement qu'ils occupent en ce moment. Dans celui qui est juste en face. Maintenant je sais tout d'elle. Presque tout. Puisque je lui parle. Puisqu'on se voit. Puisqu'on s'aime. Enfin, pour elle, je ne suis pas tout à fait sûr. On n'a pas encore franchi l'étape des mots importants. Ceux qu'on se dit

72

le cœur tremblant et les yeux dans les yeux. Ça ne m'est encore jamais arrivé. Je n'ai jamais dit je t'aime à une fille. Tout m'est tombé dessus par surprise. Je ne lui ai pas encore dit ce que je ressentais pour elle. Je ne sais pas si je pourrai le faire un jour. Nous en sommes au début. Il ne faut pas aller trop vite. Mais je suis sûr qu'elle le sait. Elle a compris. Elle ne peut pas ne pas comprendre. Il faudrait être aveugle. Je veux qu'elle sache que je ne peux plus passer un seul jour sans la voir. Là où elle va, elle me retrouve sur son chemin. Comme par hasard. L'air de rien. Et c'est grâce à son frère Amine que j'ai pu lui parler. Lui, je le connais depuis longtemps. On se connaît tous dans l'immeuble. Normal, on est voisins. Et on a presque le même âge. On a joué ensemble au ballon dans la petite rue derrière l'immeuble et fumé nos premières cigarettes dans le couloir, en bas, avant de rentrer à la maison. Je connais aussi ses deux autres frères. L'étudiant en médecine et le plus jeune, Samir, celui qu'on appelle l'artiste. Je n'arrête pas de penser à la première fois où je l'ai vue. Elle. Je veux dire vraiment vue. Remarquée. Parce que j'avais certainement dû la croiser des centaines de fois. Mais ce jour-là, elle portait une robe orange très courte, avec des petits motifs beige et jaune et des manches très larges qui faisaient comme des ailes de papillon. Elle était avec Amine. Elle marchait. Je crois qu'ils venaient de descendre du bus. J'étais en face d'eux. Il y avait du vent. Et le vent plaquait sa robe sur son corps. On aurait dit qu'elle était nue. Une vision en relief et en couleur. Toutes les formes de son corps étaient si nettement dessinées que j'en ai eu le vertige. Un peu comme Ursula Andress dans *James Bond contre Docteur No*. C'est l'effet qu'elle m'a fait. Parce que la scène où

Ursula Andress sort de l'eau avec sa robe mouillée, j'y pense souvent le soir dans mon lit. Et je suis sûr de ne pas être le seul. J'en connais bien d'autres qui ont été subjugués. Lilas est plus belle encore qu'Anna Karina que j'ai vue dernièrement, rue Didouche. Elle était avec Marcello Mastroianni. Ils sont venus tourner un film à Alger. *L'Étranger*. C'est le titre du film. Une histoire qui se passe à Alger pendant la colonisation. Le metteur en scène, c'est Visconti. Il y a eu d'autres films qui ont été tournés ici. J'ai des copains qui y ont été figurants. Ils se sont fait pas mal d'argent. Je trouve d'ailleurs que Lilas ressemble un peu à Anna Karina. Elle a, comme elle, quelque chose de fragile et de rêveur dans le visage. Je ne sais pas à quoi cela tient. À ses yeux peut-être, un peu étirés vers les tempes, à sa finesse, à sa démarche. Elle est… elle est vraiment belle. Quand je l'ai vue, je me suis arrêté. Pile. Je devais vraiment avoir l'air idiot, parce qu'en arrivant à ma hauteur, elle m'a souri, comme on sourit à un simple d'esprit. J'ai eu juste le temps de penser : il en a de la chance, Amine ! Parce que je ne savais pas. Je ne savais pas que c'était sa sœur. Pourtant… Bon Dieu ! Je me demande comment j'ai pu ! Comment, pendant des années, j'ai pu passer devant elle sans la voir. Si je racontais ça, personne ne me croirait. Et depuis, je me suis mis à la course. Au demi-fond. Pas pour courir après elle. Pour courir avec son frère. Pour mieux le connaître. On va s'entraîner deux fois par semaine au stade du Ruisseau. Quelquefois plus. Sur 1 500 mètres. Puis sur 800 mètres. On peut aller jusqu'à 3 000, mais là, épuisement garanti. On fait tellement de tours sur le terrain que j'ai les jambes qui flageolent au bout d'une heure. Mais j'essaie de tenir le coup. Pas très résistant, mais très motivé. Chaque fois que je flanche, je l'imagine au bout du parcours. Elle. Dans sa robe orange. Et je repars, gonflé à bloc. Alors je cours. En y mettant tout mon cœur. Amine a de l'avance. Beaucoup d'avance sur moi. Il a déjà gagné plusieurs courses en catégorie juniors. Il a même été sélectionné pour les Jeux méditerranéens. Et il veut aller plus loin. Moi, je m'essouffle. Simplement parce que je n'ai pas les mêmes ambitions que lui. Pour ce qui est des records et des sélections. Mais je persévère. Je préfère de loin le foot. Les passes. Les dribbles. Les p'tits ponts. Les « il y est » qui ébranlent les stades. Mais là non plus je ne fais pas d'étincelles. Je préfère être sur les gradins ou devant la télé. Alors, tant qu'à faire ! Avant d'aller au stade, je passe le prendre. Et le plus souvent, c'est elle qui m'ouvre la porte. L'autre jour sa mère m'a demandé d'entrer. Pour attendre Amine à l'intérieur, parce qu'il n'était pas encore prêt. J'ai eu le temps de voir comment c'était chez eux. Ça me permet d'imaginer ce qu'elle fait, où elle est, le soir. Mainte-nant, quand on se rencontre dans les escaliers, par hasard bien sûr, on se parle. Bonjour. Bonsoir. Tu vas bien ? Et toi ? Il fait froid ce matin. Mais il y a du soleil. Et ta cheville ? Elle va mieux ? Rien d'autre. Mais ces quelques mots échangés prouvent bien qu'elle s'intéresse à moi. Qu'elle parle de moi avec Amine. Et si son frère est avec elle, on fait même un bout de chemin ensemble. J'ai toujours des raisons évidentes d'aller dans la même direction. Elle passe son bac cette année. Comme moi. Et si je réussis, si nous réussissons tous les deux, on sera ensemble à l'université. Et ce sera plus facile. Rien que pour cette raison, il faut que je travaille. Que je ne pense à rien d'autre. Si mon père savait que ce ne sont pas ses raisons à lui qui me poussent à vouloir atteindre l'objectif prioritaire ! C'est qu'on ne parle que de ça à la maison. Depuis que Hamid a raté son bac, ils ont mis la pression sur moi. Ma mère, pas trop. Mais mon père ! Il a pris l'échec de Hamid comme un affront. Et il a mis du temps à digérer. Il était tellement sonné que Hamid a pu aller s'engager dans l'armée sans même le prévenir ou lui demander son avis. C'était le lendemain des résultats. Il a signé pour sept ans. Et il est revenu l'informer. Il est majeur. Pour Hamid, c'est simple. Il dit qu'il a réfléchi. Qu'il n'a pas agi sur un coup de tête. L'avenir est à l'armée. L'avenir appartient aux hommes forts du pays. Et les hommes forts, ce sont ceux qui portent des étoiles et des djebels dorés bien astiqués sur leurs galons. Aujourd'hui, les plus hauts responsables sont colonels ou lieutenants-colonels. Le président lui-même est colonel. Et depuis qu'il est arrivé au sommet, il a les pleins pouvoirs. D'où l'équation suivante : Armée = Pouvoir. C'est ce que pense et dit Hamid. De plus, quand on est fils d'ancien moudjahid, on peut bénéficier de certains avantages. Des avantages certains, dit Hamid. À moi donc les études, le savoir. À lui le pouvoir. C'est un peu ça. En résumé. Du moins, c'est ce qu'espèrent mes parents. Il s'est quand même inscrit à la session spéciale du bac. Il pense l'avoir plus facilement que moi. Grâce à son uniforme. Et chaque diplôme obtenu lui permettra de monter en grade. Pour l'instant, il a été affecté dans le Sud. À Tindouf. Là où se sont déroulés les combats contre les Marocains pendant la guerre des sables, il y a maintenant trois ans. Mais la situation s'est calmée depuis. Mon père connaît bien la région, puisqu'il y était. Il y fait 40 à 50 degrés à l'ombre pendant presque toute l'année. Ma mère se fait beaucoup de souci pour son fils. Les scorpions. Les

insolations. La soif. Le risque de se perdre en plein
cœur du désert. La première fois qu'il en est revenu,
on a eu du mal à retrouver en lui le garçon timide et
complexé qui passait des heures à se regarder devant
la glace. On avait devant nous un homme. Mon père
lui-même a été impressionné. Coupe militaire. Visage
brûlé de soleil. Et il a même grandi, il me semble. Il m'a
dit que le soleil était le meilleur traitement contre
l'acné. Le soleil et le grand air. Et il a ajouté sans rire :
tu devrais faire un séjour là-bas.

Elle

Si le bus arrive avant que j'aie fini de compter jusqu'à vingt, j'aurai mon bac. Si on sonne à la porte pendant que je révise un cours, c'est sur ce cours que portera le sujet. Pour tout ce que je vois, pour tout ce que j'entends, c'est comme ça. Du matin au soir, je n'arrête pas de m'accrocher à tout ce que je vois, à tout ce qui se passe autour de moi. Je sais que c'est idiot. Mais je ne peux pas m'empêcher de prendre des paris sur l'avenir. De rechercher partout de quoi alimenter mes craintes et mes espoirs. Depuis quelques semaines, je suis totalement obsédée par le bac. Ma mère aussi. Pour plusieurs raisons. D'abord, le fait que mes frères ont tous réussi cet examen. Alors, pas question de subir un échec. Ce serait le premier dans la famille. Je dois donc absolument réussir, moi aussi. Pas pour eux. Pour moi. Je sais que le chemin que je veux parcourir passe obligatoirement par cette porte. Une porte étroite, parce que je n'ai pas beaucoup travaillé cette année. En vérité, je viens à peine de m'y mettre sérieusement. J'ai peur. Toute l'année j'ai traîné un sentiment de culpabilité parce que je n'arrivais pas à me concentrer sur mes cours. Pourtant je savais bien que l'échéance arriverait un jour. Mais il y avait d'autres appels. Des appels auxquels je

n'ai pas pu résister. Des regards. Des mots. Des
attentions. C'est merveilleux de se savoir admirée. Et
mieux encore, de se savoir aimée. Même si je n'arrive
pas à savoir ce que je ressens pour lui. Je ne sais pas si
je l'aime. Mais j'aime qu'il m'aime. Qu'il vienne presque
chaque soir sonner à la porte pour appeler Amine. Qu'il
s'asseye sur le rebord d'un mur, juste en face de
l'immeuble, et attende pendant des heures de me voir
apparaître à la fenêtre ou au balcon. Qu'il se trouve
toujours sur mon chemin. Et qu'il fasse semblant de
rien. Qu'il bégaie un peu avant de répondre à mes
questions. Qu'il ne sache pas sourire à mes plaisanteries.
S'il croit que je n'ai pas compris son manège, il se
trompe ! C'est bizarre, je ne l'avais jamais remarqué
avant. Avant qu'il ne s'intéresse à moi. Pourtant il habite
le même bâtiment, au huitième étage. Mais depuis
qu'un soir on s'est croisés alors que je rentrais avec
Amine, je le vois partout. On se parle de temps en
temps. Des banalités seulement. Et il en fait son pain
blanc. Visiblement. Il n'est pas question qu'on sorte
ensemble. D'abord, même si je le trouve assez mignon
malgré ses boutons, ce n'est pas vraiment mon genre
de garçon. J'aime bien ses cheveux, très noirs, et j'aime
surtout la mèche un peu trop longue qui lui tombe sur
le visage. Il ressemble un peu à Samy Frey, mon acteur
préféré. J'aime aussi la forme de ses sourcils, et la
couleur de ses yeux. Marron noisette. Il est grand de
taille mais il se tient toujours penché en avant. Comme
s'il prenait le vent de dos. Et on dirait qu'il marche de
travers, à contre vent. Ensuite, je n'ai pas le droit de
fréquenter un garçon. Pas le droit de sortir avec
quelqu'un au vu et au su de ma famille et du voisinage.
Je veux dire, pas officiellement. Parce qu'en réalité c'est

possible. On pourrait s'arranger. En se cachant. En se donnant des rendez-vous secrets. Comme la plupart des copines. Mais je dois avant tout penser à mes études. C'est décidé. Je ne veux plus penser à rien d'autre. L'année prochaine peut-être. Si j'ai mon bac. Si je suis à l'université. Tout sera plus facile. Et puis je serai beaucoup plus libre. Il paraît qu'à la fac on peut rater les cours sans justifier les absences. Et l'emploi du temps est moins chargé. La belle vie, quoi ! Je ne sais même pas dans quelle branche je veux m'inscrire. J'hésite. Je suis indécise. Comme toujours. Si je devais remplir une fiche de renseignements, dans la partie réservée aux caractéristiques psychologiques, j'écrirais : principal défaut : indécision. Pour les qualités, je ne sais pas. Il paraît que je suis gaie. Gaie, mais un peu trop encline à la rêverie. C'est ce que dit Myriam. Mais elle, c'est mon amie. C'est pour ça. Pourtant elle sait tout ce qui gronde à l'intérieur de moi. Mes colères. Mes révoltes. Mes envies. Les mêmes que les siennes. C'est pour ça qu'on est amies. Mais elle, elle peut se permettre de les dire. De les vivre. De les vivre sans être rappelée à l'ordre. Elle n'a peur de rien ni de personne. Et elle a des parents merveilleux. Ils lui font confiance. Et c'est ce qui fait qu'elle est forte et sûre d'elle. Ils l'autorisent à sortir avec des copains. À aller en boum. À faire du théâtre. À s'habiller comme elle veut. Ils ne mesurent pas la longueur de ses tenues. Pas d'inspection avant de sortir. Elle porte des minijupes, des pantalons et des tricots moulants. Et ils se moquent pas mal du qu'en-dira-t-on. Mais ils n'habitent pas dans un immeuble. Ils n'ont pas de voisins qui voient tout, qui savent tout. Elle n'a pas besoin de mentir. De se cacher. D'inventer des tas d'histoires pour pouvoir saisir des petits bouts de bonheur. Elle vit sa vie au grand jour. Et elle ne fait rien de mal. Mais, à propos, qu'est-ce que le mal ? Vaste question, dirait mon prof de philo. Eh bien, le mal, n'est-ce pas, c'est une notion, un concept, n'est-ce pas, qui nécessite plusieurs éclairages, plusieurs approches. N'est-ce pas ? Cette notion est à mettre en relation avec la morale, la religion, n'est-ce pas, avec la liberté, la justice, n'est-ce pas, et nécessairement, avec les situations et avec les cultures. N'est-ce pas ? En particulier si l'on doit définir cette notion, n'est-ce pas, par rapport au bien. La prof de philo s'appelle made-moiselle Audret, et on l'a surnommée mamselle S'pa. À cause de son tic de langage. Et parce qu'en parlant elle avale la première syllabe de son expression fétiche. Et pendant ce temps, l'élève du dernier rang fait claquer l'élastique du soutien-gorge de la fille assise devant elle. Comme pour faire écho aux centaines de « s'pa » qui ponctuent les envolées de la prof. Tout occupée à faire son cours, elle ne se rend compte de rien. Voilà le genre de choses qui divertit. Qui nous a fait rire toute l'année. Sans vouloir faire de mal à quiconque. Rire nous faisait beaucoup de bien. Pour évacuer nos angoisses. Pour nous aider à supporter la pression. Mais, souvent, ce qui nous fait du bien est interdit. On n'est pas toujours d'accord, ma mère et moi, sur ce sujet. Elle n'arrête pas de répéter que tout ce qu'elle fait, tout ce qu'elle m'interdit ou m'oblige à accepter, c'est pour mon bien. Et mon bien, elle seule peut en juger. Je connais par cœur toute la liste d'obligations et de devoirs qu'il faut respecter pour être du côté du bien. Ce qu'une fille de bonne famille doit ou ne doit pas faire pour ne pas être considérée comme une « relâchée », une dévergondée. Mais bien sûr, les obligations et les devoirs varient selon le sexe. Ça, la prof de philo ne nous l'a pas précisé. Ce qui est mal pour les filles peut ne pas l'être pour les garçons. Très souvent. Et inversement. Apprendre à une fille à faire la cuisine, à faire le ménage, à obéir, c'est l'aider à trouver la voie de son accomplissement. Voilà en gros le discours des mères. Bien entendu, ce n'est pas valable pour un garçon. Pas même pensable. Mais si j'ai bien compris, parfois, ce sont les situations qui permettent de déterminer si ce qu'on fait est bien ou mal. Prenons le cas de la voisine du dixième, Aziza. C'est une très belle femme. Même les autres femmes le disent. Elle a un port de reine. Des yeux vert foncé, bordés de cils noirs très fournis et dont la voilette qu'elle porte sur le visage ne fait qu'accentuer la nuance si rare. Quand elle s'est mariée, elle n'avait pas encore seize ans. On l'a mariée très jeune, a-t-elle raconté à Maman, parce qu'elle était trop belle et qu'elle avait trop de caractère. Elle aurait pu poser des problèmes à sa famille. De graves problèmes. Rien n'est plus grave que les problèmes que peuvent poser les filles à leur famille. Surtout les filles que la nature a trop généreusement pourvues. Je crois que, s'ils avaient le choix, les parents préféreraient avoir des filles ni trop belles, ni trop moches. Et pas trop intelligentes non plus. Le père d'Aziza s'est senti incapable d'assumer ce don de Dieu et s'est débarrassé d'elle en vitesse en la mariant avec le premier venu. Et pourtant, ils l'avaient appelée Aziza, la bien-aimée. Il faut toujours faire attention au prénom qu'on donne à un enfant. Parce qu'il faut ensuite donner à cet enfant des raisons de croire qu'il est bien nommé. Aziza a maintenant trente ans. Six enfants. Un mari qui l'humilie, l'exploite, et la bat dès qu'elle se permet de faire une remarque, ou simplement quand il en a envie.

Je crois qu'il est jaloux. Au début, quand ils n'avaient pas d'enfants, il l'enfermait quand il sortait. Et elle ne peut pas le quitter, parce qu'elle n'a pas où aller. Son père refuse de la reprendre chez lui. Son mari est routier. Donc souvent absent. Heureusement. Et, malgré la vie qu'elle mène, elle est toujours aussi belle. Alors, parce qu'elle en avait assez des humiliations, de l'exploitation et des coups, un jour, elle a décidé d'être heureuse. Malgré lui. Quand il n'est pas là, elle met ses plus belles robes, se maquille, envoie les plus grands de ses enfants à l'école et laisse les autres à sa voisine de palier, sa complice. Et elle sort, enveloppée de son haïk, le visage recouvert d'une voilette d'organdi et de dentelle. Ainsi personne, ni dans l'immeuble, ni dans le quartier, ne remarque qu'elle est maquillée et habillée différemment. Parce que, dans l'immeuble, tout le monde surveille tout le monde. C'est bien pratique, le haïk ! On peut passer inaperçue, circuler sans être reconnue, surtout si on se cache le visage en ne laissant paraître qu'un œil. C'est ce qu'elle fait. Et c'est protégée par son voile qu'elle va on ne sait où, faire la fête certainement. Je crois qu'elle va avec d'autres hommes. J'en suis même presque sûre, bien que Maman ne me laisse pas écouter tout ce qu'Aziza lui raconte. Quand elle sonne chez nous, elle m'envoie dans la chambre et elles se mettent à chuchoter. Quand elle revient pour s'assurer que son mari n'est pas encore rentré – il ne la prévient jamais de la durée de ses voyages –, elle s'arrête chez nous pour téléphoner à sa voisine, chargée également de faire le guet. S'il est là, elle demande à la voisine de descendre les petits et remonte avec eux. L'air de rien. Elle dit à son mari qu'elle était chez sa mère. Avec ses enfants, bien entendu. Sa mère est au courant de tout. Elle la protège. Elle ne veut que son bien, c'est sûr. Même si elle sait que ce qu'elle fait est mal. Je veux dire que ça ne se fait pas chez nous. Une femme mariée qui va avec d'autres hommes. C'est même très grave. Il y en a qui peuvent être condamnées à mort et lapidées pour adultère. Pas ici, heureusement. Même si on est musulmans, on n'est pas barbares. L'un ne va pas nécessairement avec l'autre, comme dit Mohamed. Mais il paraît que, dans certains pays musulmans, on punit les femmes de cette façon. Pas les hommes. Quand on parle d'adultère, je ne peux m'empêcher de penser à la grande frayeur de Zohra, la voisine du quatrième. Toujours elle. Depuis que Mohamed s'est inscrit en fac de médecine, on vient le consulter. Parce que maintenant, pour le voisinage, tous bâtiments confondus, avoir un médecin dans l'immeuble, c'est une sécurité. Et une fierté pour tout le monde. Pourtant, il n'est qu'en troisième année de médecine. Mais on l'appelle Docteur depuis son premier cours à la faculté de médecine, en CPEM. Tout le monde attendait avec impatience qu'il sache faire des injections et mesurer la tension. Et l'on se tenait régulièrement au courant du contenu de ses cours, attendant avec impatience qu'il ait étudié telle ou telle maladie pour venir le consulter. Un soir, Zohra a sonné chez nous. Il était minuit. Elle était affolée. Elle voulait savoir si son fils de onze ans ne risquait rien. Parce qu'elle venait, par erreur, de lui administrer des suppositoires pour « adultères ». Mohamed, très sérieusement, l'a rassurée. Mais je reviens à la question fondamentale. Et qui concerne Aziza. Dans sa situation, même si elle a conscience qu'elle enfreint la loi ou les lois du mariage, je veux dire fidélité et tout, peut-elle pour autant renoncer à quelque chose qui lui fait du bien ? Matériellement et physiquement. La question peut être posée, parce qu'elle revient de ses virées avec les yeux brillants et chargée de sacs qu'elle laisse quelquefois à ma mère, en attendant de pouvoir les ramener chez elle. Et dans ces sacs, il y a souvent des jouets et des friandises pour les enfants. Alors ? Si je suis heureuse, que je sens que c'est nécessaire à ma vie, à mon équilibre, et dans la mesure où je ne fais de mal à personne, excepté à ceux qui me font eux-mêmes du mal, que m'importe le jugement des autres ? Selon mademoiselle S'pa et Spinoza, il n'y a pas de bien ou de mal en soi. Il n'y a que des désirs, assouvis ou non. Avec toutes ces démonstrations ayant valeur d'exemples, si je n'ai pas dix-huit sur vingt à l'épreuve de philo au bac, n'est-ce pas, je me pends.

Lui

Finalement, ça sert de savoir courir. Surtout de pouvoir courir vite. Fond ou demi-fond, tout est question d'entraînement, d'endurance et d'à-propos. Ces derniers jours, pas besoin d'aller dans un stade pour courir. Ce que d'ailleurs je ne fais plus depuis longtemps. Mais comme j'étais entraîné, ils n'ont pas pu me rattraper. Je n'aurais jamais pensé que mon entraînement pourrait me servir à échapper un jour à des poursuivants en uniforme. Les copains n'ont pas eu la même chance que moi. Ils n'avaient ni les mêmes capacités ni les mêmes réflexes. Ils se sont fait arrêter au bout de quelques mètres seulement. Moi, j'ai couru. J'ai dû pulvériser tous les records d'Algérie. Et même d'Afrique. En courant, je ne sais pas pourquoi, je pensais à ce que disait ma grand-mère : la peur peut faire courir même les vieillards impotents. Le grand show. Avec des éliminatoires. Sans podiums ni médailles pour les vainqueurs, dont la plupart se sont évanouis dans la nature. Et se sont mis au vert pour quelques jours. Les éliminés, par contre, ont eu droit à un hébergement gratuit. Dans les locaux de la police. Sans commodités, mais services compris. Ou plutôt, sévices compris. Pourtant, on n'a pas vraiment fait trembler les assises de la nation. De toutes les façons, comme dirait Rachid, il n'y a pas d'assises au Parti, il n'y a que des assis. Mais, dans le journal – le seul, l'unique – du Parti – le Seul, l'Unique – et à la télévision – la seule, l'unique – en gros, ça donne : un groupuscule d'étudiants manipulés par la main de l'étranger a tenté de porter atteinte aux fondements de la Révolution. L'hydre impérialiste n'est pas morte. Nous devons plus que jamais rester fidèles aux valeurs du 1er novembre 1954. Les forces de l'ordre sont intervenues pour déjouer le complot fomenté par ce même groupuscule. Les Algériens, unis plus que jamais ou plus que jamais unis face à cette tentative menée par les ennemis jurés internes et externes de la Révolution de saper les fondements et les acquis irréversibles de la nation, doivent rester vigilants. Ouf ! Fin de citation. Rachid est en prison. On ne sait ni dans quelle prison, ni pour combien de temps. Saïd et les autres ont été relâchés après avoir subi des interrogatoires musclés. On les a bien secoués pour leur remettre les idées en place. Ils sont encore sous le choc. Faïza et Saléha ont passé deux nuits au commissariat. Leurs parents étaient fous d'inquiétude. Après leur libération, on ne les a plus revues aux cours. Parce que les cours ont repris le 18 février. Après quinze jours de grève. Elles étaient avec nous quand les policiers ont cerné la fac pour nous déloger. On s'est d'abord réfugiés dans les amphis, mais ils ont fini par entrer. Ils ont essayé de bloquer toutes les issues. Ça a été le sauve-qui-peut général. On n'a pas pu échapper aux coups de matraque. Mais ce n'était rien à côté de ce qu'ils ont fait à ceux qu'ils ont embarqués. Et les filles n'ont pas été épargnées. Avant d'entrer dans l'enceinte de la fac, ils ont même appelé à la rescousse les dockers du port d'Alger. Des dockers qui sont entrés pour la première fois de leur vie à l'université. Beaucoup, une fois sur place, n'ont pas voulu leur prêter main-forte. On a fraternisé. J'ai pensé au film que j'ai vu à la cinémathèque il y a quelques années, *Le Cuirassé Potemkine*, quand l'armée, appelée pour mater la révolte, refuse de tirer sur les mutins du *Potemkine*. Bilan négatif. Pour nous. Aucune de nos revendications n'a été satisfaite. À vrai dire, je n'ai pas approfondi la question des revendications. Je n'ai jamais assisté aux assemblées générales de l'Unea. Mais on était d'accord sur le principe. Solidaires. Sauf ceux de la fac de médecine. Je sais à peu près que la grève a été décidée pour défendre la liberté d'expression et contrer la mainmise du Parti sur les organisations de masse, et en premier lieu la nôtre. Je sais surtout que maintenant on est tous surveillés de près, de très très près, en raison de nos agissements contre-révolutionnaires. Mon père était furieux de me savoir avec ces «voyous». Mais lui, de toutes les façons, il est depuis toujours contre la liberté d'expression. À commencer au sein de sa propre famille. Maintenant, il est responsable de la Kasma FLN du quartier. C'est un homme important. Cela se voit tout de suite à la façon dont on le salue. Dans l'immeuble, tout le monde lui demande d'intervenir. Pour des régularisations de pension, des fiches communales d'ancien moudjahid, des attestations d'invalidité, des demandes d'emploi, et que sais-je encore. Il rend souvent service à ceux dont il pourrait avoir besoin un jour. Il le dit lui-même. Mais depuis quelques mois, il se trouve à l'étroit dans l'appartement. Un logement qui, dit-il, ne cadre plus avec ses nouvelles fonctions politiques. Ni avec l'image qu'il veut donner de lui depuis le début de son ascension sociale. Surtout qu'il est maintenant licencié en droit, grâce aux cours du soir ouverts à l'intention de ceux qui comme lui ont rejoint les rangs de l'ALN et ont abandonné leurs études. Cours auxquels il a rarement assisté, soit dit en passant. Il regrette de n'avoir pas été suffisamment perspicace en 1962, à sa sortie de prison. Il répète sans arrêt qu'il aurait dû demander un arrêté d'attribution pour une belle villa à Hydra ou à El Biar. Comme les autres. Quand il dit « les autres », il parle de ses compagnons de lutte plus prévoyants et qui se sont mieux débrouillés que lui. Chaque fois qu'il monte les escaliers, il peste contre le laisser-aller de la concierge qu'il ne paie pas, contre l'ascenseur qui ne marche pas, contre les ampoules qui ne sont pas remplacées et contre les gamins qui pullulent dans les couloirs de l'immeuble. Pourtant il sait bien que c'est le président lui-même qui a encouragé le peuple algérien à avoir des enfants. Pour repeupler l'Algérie. Pour que nous ayons suffisamment de matière grise, de manière à pouvoir relever le défi et sortir du sous-développement. Et dans l'immeuble, tout le monde s'est mis à la tâche avec empressement. Il ne se passe pas de semaine sans que ma mère soit invitée à fêter le septième jour d'une naissance. En arrivant à notre étage, à bout de souffle parce qu'il a beaucoup grossi, mon père continue à pester. Contre ma mère. Parce qu'elle est là. Ma mère qui ne lui répond jamais et se contente de quitter la pièce pour se réfugier dans la cuisine, une pièce où il ne met jamais les pieds. Il me semble, il ne le dit pas clairement mais tout dans son comportement le crie, qu'il lui en veut parce qu'elle non plus ne cadre plus avec ses nouvelles fonctions, avec son nouveau statut et ses ambitions d'homme politique, appelé, qui sait, à occuper des postes de responsabilité importants. C'est qu'elle n'a pas changé. Elle porte toujours ses robes longues, ses foulards, son haïk. Elle ne sait toujours pas lire, ni écrire. Mais ça, il ne peut pas le lui reprocher. Il n'a jamais voulu lui permettre d'assister aux cours d'alphabétisation. Elle ne fréquente pas beaucoup les autres femmes de l'immeuble. Exception faite de la mère de Lilas. Mon père fait une exception pour elle parce qu'elle est instruite et qu'elle est différente des autres. Et puis, elle a un fils médecin. Il n'a pas encore fini ses études, certe, mais comme il est interne à l'hôpital Mustapha, on peut toujours avoir besoin de ses services. Les relations familiales nous arrangent bien, Lilas et moi. On peut se voir sans que ça paraisse anormal aux yeux de ses frères ou des locataires. Et nous, on ne peste pas contre l'obscurité dans les escaliers ! Bien au contraire. Il n'y a que là qu'on peut s'embrasser. S'embrasser vraiment, et même aller un peu plus loin. Mais pas plus loin que quelques caresses. Elle ne veut pas. C'est normal pour une fille comme elle. Mais c'est frustrant. J'ai beau lui dire qu'on n'a que faire de toutes les traditions et de toutes les conneries des parents, elle refuse de coucher avec moi. Elle dit qu'elle en a envie, elle aussi, mais qu'elle est encore trop jeune. Que nous ne nous connaissons pas suffisamment. Mais surtout elle a peur que je l'abandonne après. Elle est complètement inhibée par toutes ces idées rétrogrades. À la fac, tous nous considèrent comme un couple. On est tous les deux à la fac centrale. Elle fait psycho et, moi, je me suis inscrit en droit. On y va ensemble. On repart ensemble. Mais une fois que le bus nous dépose dans le quartier, on ne marche pas côte à côte dans la rue et on n'entre pas en même temps dans l'immeuble. Pour plus de précautions. Elle monte seule et m'attend dans un coin entre deux paliers. Je traîne un peu avant de la rejoindre. Et je joue à la découvrir dans le noir. Ça nous excite. Mais quoi qu'elle dise, c'est sérieux entre nous, même si, sans qu'elle le sache bien entendu, je vais de temps en temps avec d'autres filles, pour satisfaire d'autres besoins. J'ai même parlé d'elle à ma mère. Parce qu'elle s'en doutait. Elle n'arrêtait pas de faire des allusions. De me taquiner. Pour qui tu te fais beau, hein, mon fils? À propos, tout à l'heure, j'ai rencontré Lilas. Elle te passe le bonjour. Alors j'ai fini par lui avouer. À moitié. Mais comme d'habitude, elle m'a dit: finis tes études, et après on verra. Et il faut d'abord marier Hamid. C'est l'aîné. Lui, il a demandé à ma mère de lui trouver une femme. Mais il lui a compliqué la tâche en posant des conditions très strictes. Modestie, discrétion et surtout beauté. Pour ma part, je ne suis pas vraiment convaincu que ma mère puisse avoir les mêmes critères que nous, du moins sur ce plan. Mais c'est bien ce qu'il a exigé. Qu'elle soit belle et surtout juste assez instruite pour pouvoir élever correctement des enfants. Il est lieutenant maintenant. Il vit seul à Ouargla. Toujours dans le Sud. Dans quelques années il sera capitaine, puis il montera en grade. Son parcours est tout tracé. Quand il vient nous voir, on ne discute pas beaucoup ensemble. On dort toujours dans la même pièce, mais on n'a plus les mêmes relations. On n'a plus grand-chose à partager en dehors de la chambre. Il ne me parle jamais de ce qu'il fait. Il ne dit jamais ce qu'il pense. Je regrette vraiment le temps où, même si on se bagarrait, parfois violemment, on était vraiment frères. Nos fous rires et nos plaisanteries idiotes. Notre solidarité face aux colères de mon père.

J'ai même l'impression que, depuis quelque temps, il s'entend mieux avec lui qu'avec moi. Ils ont des discussions politiques sur la situation du pays, sur les options, les acquis et grandes espérances de la nation. Et quand le président parle, qu'il préside une réunion, qu'il inaugure un grand chantier, qu'il visite une usine fleuron de la Révolution, ils sont presque au garde-à-vous devant le poste de télévision. Je m'entends mieux avec Amine, le frère de Lilas, qu'avec mon propre frère. Et pourtant lui non plus n'est pas souvent là. Il va disputer des compétitions un peu partout dans le pays, et même à l'étranger. Il progresse d'année en année. Il est sélectionné pour les Jeux universitaires maghrébins. Mais son objectif, c'est gagner une course aux Jeux olympiques. Donner sa première médaille d'or à l'Algérie. Bien sûr, il ne sait pas que Lilas et moi on sort ensemble. Samir le sait. Parce qu'il nous a surpris en train de nous embrasser dans les escaliers. On ne l'avait pas vu arriver. Mais il s'en fout. Il n'est pas comme les autres. Il n'a rien dit. Lui, il ne s'intéresse qu'à la musique. Au grand désespoir de sa mère. Mais il joue très bien de la guitare. Il a appris tout seul. Et dans le quartier, on l'appelle souvent pour animer les soirées du ramadan. Amine et moi, on l'accompagne pour passer le temps. Amine est content depuis que je lui ai annoncé que j'allais reprendre l'entraînement au stade avec lui. À partir du moment où j'ai commencé à sortir avec Lilas, je n'en voyais plus trop l'utilité. Mais, au train où vont les choses, ça peut toujours servir.

Elle

Je ne sais pas ce qui se passe en moi. Plutôt, je ne le sais que trop. Et c'est surtout le soir, après avoir quitté Ali, que je suis envahie d'un malaise diffus qui prend naissance dans mon ventre. C'est une attente. C'est une impatience. C'est une chaleur insinuée en moi comme un feu impossible à éteindre. Et je ne peux en parler avec personne. Myriam est partie. Elle est allée suivre une formation spécialisée en France pour pouvoir enseigner dans une école de sourds-muets. Formation qui n'existe pas chez nous. Pas encore. Nous échangeons des lettres, mais il m'est difficile de lui raconter quelque chose d'aussi étrange, d'aussi intime. Et puis j'aurais trop peur que quelqu'un intercepte mon courrier. Un de mes frères par exemple. Je ne peux pas non plus en parler avec Ali. Surtout pas avec lui. Parce qu'il trouverait tout de suite une explication. Celle que je ne veux pas entendre. Il me dirait: c'est parce que tu ne veux pas te laisser aller à tes désirs. À ce dont tu as le plus envie. À force de refoulements et d'inhibitions, à force de brider tes élans, tu te fais du mal. Alors forcément, ton corps réagit. Bien souvent, je dois lui rappeler que c'est moi qui poursuis des études de psychologie. Mais il a des explications pour tout. Et il argumente très bien.

Particulièrement pour tout ce qui concerne nos relations. J'aime bien l'entendre parler de ce que je ressens. Je l'écouterais pendant des heures. Quand il plaidera, il faudra que les juges prennent des mesures pour minuter ses interventions. J'aime surtout le ton protecteur qu'il prend pour répondre à mes questions. Pour me demander, gentiment, d'aller ou de ne pas aller ici ou là, de faire ou de ne pas faire ce qu'il estime bien ou mal pour moi. Ce qui m'étonne, c'est que je cède très facilement, trop facilement peut-être, à toutes ses demandes. Oh, ce ne sont pas des exigences. Il le dit lui-même. Tu peux faire ce que tu veux. Je n'ai aucun droit sur toi. Tu le sais. Mais tu sais aussi que je n'aimerais pas qu'il t'arrive quoi que ce soit. Tu es ce que j'ai de plus cher au monde. Tu le sais. Oui, je le sais. Alors je finis toujours par me ranger à ses objections. Ce sont à peu près les mêmes que celles de Maman et de Mohamed, mais je les accepte plus volontiers, parce que ce ne sont pas des interdits. Pendant les grèves à la fac, il m'a demandé d'éviter de traîner dans les allées et les amphis, et même de ne pas aller en cours les jours où ça chauffait. Au début, je n'étais pas d'accord. Parce que j'avais participé aux discussions avec mes camarades. J'ai même pris la parole pour donner mon avis. J'en étais étonnée moi-même. Et pendant les AG, j'ai voté pour la grève. Sans vouloir vraiment faire de la politique, je me sens concernée. Il s'agit de nous. De nos désirs. De notre vie. Nous sommes l'avenir. Ils sont le passé. Ils avaient notre âge quand ils sont passés à l'action. Mais ils l'ont oublié. Et c'est à nous de le leur rappeler. Tout pouvoir doit-il nécessairement s'accompagner de surdité ? Il s'agit simplement d'écouter. Même quand s'élèvent des voix discordantes. Sinon, comment avancer sans ces voix? Comment un parti unique, une pensée unique, pourraient-ils incarner un peuple entier, décider de ses rêves, de ses aspirations? Je ne sais plus où j'ai trouvé cette phrase qui figure en tête de mes carnets: c'est la fièvre de la jeunesse qui donne sa température au reste du monde. Mais je sais très bien pourquoi je l'ai recopiée. J'aimerais pouvoir en discuter avec Ali. On en parle, mais j'ai parfois l'impression qu'il n'aime pas trop aborder ces sujets avec moi. Il ne relance jamais la discussion. Il se contente de dire que, quand il est avec moi, il n'a pas trop envie de refaire le monde. Il préfère que nous parlions, lui et moi, d'autre chose. De nous. De notre avenir à nous. Au programme: Mariage. Enfants. Sécurité matérielle. Des mots bien solides. Bien concrets. Il dit que c'est sérieux entre nous. Je ne peux pas m'empêcher de penser que c'est peut-être un peu trop sérieux. Un peu trop rapide. Mais il insiste. Il revient à la charge. Il en a même parlé à sa mère. Quand on se rencontre dans les escaliers et quand elle vient chez nous, elle a pour moi un sourire complice. J'ai l'impression qu'elle approuve notre relation. J'espère qu'elle n'a pas fait d'allusions devant Maman. Parce que moi, je ne sais pas trop. Je ne sais pas trop si j'ai envie de m'engager tout de suite. De me retrouver dès maintenant sous une autre tutelle. C'est ce que m'a dit Myriam quand je lui ai parlé d'Ali et de nos projets. Elle a même repris à mon intention cette phrase de Kant: «Il est si commode d'être sous tutelle.» J'aurais voulu découvrir la vie pas à pas, étape par étape, sans être nécessairement guidée, accompagnée et surtout orientée. Mais bon… Myriam n'a sans doute pas osé compléter sa citation, pour ne pas me blesser, mais je crois bien que c'est Kant, toujours lui, qui enfonce le clou. « Paresse et lâcheté font que les hommes oublient leur liberté. » J'ai encore des souvenirs de mes cours de philo. Je sais bien que je n'ai à m'en prendre qu'à moi-même. Je crois que je suis incapable de savoir ce que je veux vraiment, incapable d'aller jusqu'au bout de mes rêves. D'ailleurs je ne sais même plus de quelle couleur sont mes rêves. Et puis j'aime Ali. J'aime ses mains posées sur moi. J'aime quand, devant les copains à la fac, il me prend la main et m'enlace pour montrer que je suis à lui. J'aime l'image qu'il me donne de moi. C'est une sensation merveilleuse que de plonger mes yeux dans les siens et de m'épanouir dans son regard. J'aime surtout son émoi et ses impatiences lorsque nous sommes seuls, lorsque nous sommes proches. Il dit que je me pose trop de questions. Que je philosophe inutilement. Que tout pourrait être simple si je lui faisais vraiment confiance. Et je n'y arrive pas. Pas tout à fait. Tout est si contradictoire en moi. J'aimerais me libérer totalement des interdits qui m'étouffent, mais en même temps j'ai peur. Je sais qu'il voudrait qu'on couche ensemble. Il me l'a proposé, avec toutes les précautions de langage pour ne pas me choquer. Il dit : aller jusqu'au bout de notre amour. Mais je n'ose pas sauter le pas. Franchir les frontières. Ces frontières dont Ali me parle sans cesse, en m'expliquant qu'elles ne sont que tracés imaginaires issus de conventions établies dans un temps ancien. Conventions aujourd'hui périmées. Et, poursuit-il avec fougue, les temps anciens sont révolus. Ne vois-tu pas que tout change autour de nous ? Que nous sommes irrémédiablement condamnés à suivre la voie du progrès ? Que nous devons nous débarrasser des préjugés qui nous empêchent d'avancer ? J'ai l'impression qu'il pourrait animer un meeting politique et rameuter des foules, tant il met de cœur à défendre ses idées. Surtout quand il veut arriver à ses fins. Je l'écoute patiemment. Je souris parfois, parce que ce sont presque les mêmes mots qu'emploient ceux qui ont brisé la grève et envoyé des troupes de policiers dans l'enceinte de l'université. Mais dans leur bouche, ce ne sont que slogans révolutionnaires et langue de bois, destinés à leurrer ceux qui les écoutent. Lui y croit vraiment. Il pense que, pour changer le monde, il faut d'abord faire sa propre révolution. Tout balayer. Je l'approuve. Mais j'attends. Je n'ose pas. Pas seulement parce que je trahirais la confiance de ma mère. C'est surtout que je ne me sens pas prête. Pourtant, j'en ai vraiment envie. Durant ces quinze jours de grève que j'ai passés à la maison, je n'ai fait que lire. Des romans, bien sûr. J'en achète beaucoup chez le bouquiniste, en haut de la rue Didouche. Et chaque fois que j'ai sous les yeux un passage où deux amants se retrouvent, je ressens physiquement leur désir. Je suis alors traversée par des sensations étranges, inconnues, sur lesquelles je ne sais pas mettre de mots. Je n'ose pas. Pourtant, quand les voisines viennent chez nous et qu'elles discutent avec Maman, je les entends. Elles n'ont aucune honte à raconter et à décrire leurs relations. En détail. Avec des mots crus. Elles parlent souvent des désirs de leur mari. Mais aussi et surtout des subterfuges auxquels elles recourent pour échapper à cette «corvée». Toutes les raisons sont bonnes pour se dérober à l'acte sexuel. Et pas seulement par peur d'être enceintes. À les entendre parler, je me demande si la négation du désir et du plaisir ne serait pas une manière de se protéger de toute tentation. Combien d'entre elles savent ce qu'est la jouissance? J'ai même entendu Fatiha dire qu'elle refusait de faire ce que son mari lui demandait parce qu'elle avait peur qu'il ne la considère comme une prostituée. Pourquoi la jouissance serait-elle toujours associée à l'interdit, et donc à la dépravation ? Si c'est pour en arriver là, pourquoi continuer à vivre avec quelqu'un qu'on ne supporte plus ? Je sais que la plupart d'entre elles n'ont pas connu leur époux avant le mariage, et ne l'ont jamais aimé. Et pour elles, comme dit Zahia, la voisine du troisième, le mariage peut se résumer ainsi : une minute de détente, neuf mois d'attente et toute une vie exténuante. Ce n'est pas de cette vie-là que je veux. Je ne suis pas comme elles. Et je ne veux pas, surtout pas, leur ressembler. Zahia a quelques années de moins que ma mère, et elle paraît bien plus âgée. Précocement déformée par des grossesses tellement rapprochées qu'on finit par ne plus savoir si elle est enceinte ou non. Déformée, et totalement insoucieuse de son corps, de son apparence, de l'image qu'elle peut donner d'elle-même, à peine quelques années après avoir été une jeune mariée assise sur un trône, un soir, un seul, une jeune mariée vêtue de soies et de brocart, couverte d'or et entourée de fleurs. Comme la plupart des femmes qui viennent chez nous pour s'épancher. Et elles se trouvent bien mieux loties, voire plus heureuses que celles qui les ont précédées. C'est sans doute vrai. Du fait qu'elles ne sont plus contraintes, comme l'était mon arrière-grand-mère dans sa jeunesse, à attendre toute la journée leur mari assises face à un arbre. Depuis que j'ai entendu ma mère décrire cette scène, je n'ai plus en moi que cette image. Celle de sa grand-mère ou de toute autre femme vivant dans un douar, qui, lorsqu'elle devait aller au village voisin ou à la ville pour une raison majeure, accompagnée de son mari bien entendu, était ensuite déposée dans l'enclos réservé aux animaux. Elle devait y rester assise, non pas contre un arbre, mais face à l'arbre. Le corps et la tête enveloppés dans un voile, avec juste une fente pour un œil. Avec pour seule consigne : attendre. Des heures entières si nécessaire. Attendre son maître tout le temps qu'il vaque à ses affaires au souk hebdomadaire où seuls les hommes sont admis. Elles étaient parquées dans un enclos. Avec interdiction, bien sûr, de regarder autre chose qu'un tronc d'arbre dont elles devaient sans doute apprendre par cœur les circonvolutions. Sans bouger. Sans boire ni manger. Jusqu'à ce qu'il revienne et les fasse remonter sur son âne pour les ramener à la maison. Elles me hantent, ces femmes assises, immobiles, sans projet autre que celui d'être ramenées chez elles par leur mari. Je ne pense pas que cette pratique existe encore aujourd'hui. Pas même dans les douars les plus reculés. Mais il y a d'autres attentes. Tout aussi éprouvantes. Tout aussi humiliantes. D'autres façons d'aliéner un individu. Et peut-être même au nom de l'amour. C'est tout cela qui me fait très peur. Moi, je veux écrire ma vie avec des mots tout bleus, des mots bruissant d'aubes claires, des mots plus légers et transparents que gouttes de rosée déposées au creux de matins fragiles. Ali ne comprend pas ces mots-là. Il m'écoute, mais il dit que nous devons être réalistes. Que l'avenir appartient à ceux qui savent façonner leurs rêves à la mesure du monde qui les entoure. Qu'il ne sert à rien de vouloir décrocher la lune si l'on n'est pas capable de fabriquer une échelle pour y accéder. Mais il avoue cependant que, étrangement, c'est ce qu'il aime en moi. La résistance que j'oppose à son désir. Et cette part d'inattendu et de légèreté que je mets dans sa vie. Puis, très sentencieux, il poursuit en développant pour moi sa théorie du couple : lorsque l'un veut grimper aux arbres, il faut toujours que l'autre reste en bas pour l'attendre, pour l'aider à revenir sur terre sans se casser le cou.

Qu'un homme accepte qu'une femme puisse grimper sur un arbre, c'est déjà un progrès. Un progrès considérable. Mais encore faut-il qu'elle puisse atteindre la cime, et surtout qu'elle ait envie d'en redescendre.

Lui

L'homme a marché sur la lune. C'est un petit pas pour l'homme et un grand pas pour l'humanité, avons-nous entendu, en direct de la lune. C'est sans doute cela que l'humanité va retenir de l'histoire de cette année 1969. En Algérie restera aussi, peut-être, le souvenir du Festival culturel panafricain. Ses musiciens. Ses danseuses aux seins nus hâtivement cachés par des soutiens-gorge blancs fournis en catastrophe par les organisateurs, soucieux de ne pas offenser la morale. Ses danseurs venus de toute l'Afrique pour remplir de lumière, de couleurs et de musique les rues d'Alger. Alger, capitale de toutes les révolutions, asile et refuge de tous les révolutionnaires. Ce que je retiendrai, moi, de cette année, ce sont les larmes de ma mère. Et surtout mon impuissance devant ses larmes. Parce que je n'ai rien pu dire, rien pu faire pour l'aider à surmonter son désespoir. Pour la consoler. Rien, sinon lui promettre solennellement que moi, je ne l'abandonnerai jamais. Mon père est parti. Il s'est installé avec une autre femme. Une autre femme dont il avait déjà un enfant. Sa seconde épouse. Tout s'est passé dans la dissimulation, le mensonge. Il avançait des alibis que personne n'a jamais songé à mettre en doute. Missions. Déplacements.

Réunions de la plus haute importance pour l'avenir du pays. Et pour le sien aussi. Mon flair de sloughi n'aura servi à rien, cette fois-ci. Mais il est difficile parfois de regarder en face l'évidence. Nous préférons détourner les yeux. Par commodité ou de peur d'être aveuglé. Je ne pensais qu'à moi, à mes études, à Lilas, à nos projets, aux désaccords que nous avons de temps à autre, elle et moi, et qui me semblent dérisoires à côté de ce qui nous arrive aujourd'hui. Et je n'ai rien vu – ou rien voulu voir. Ma mère, elle, dit qu'elle en avait eu le pressentiment. Elle avait rêvé à plusieurs reprises qu'elle perdait la clé de la maison et qu'elle ne pouvait plus entrer chez elle. En dehors de toute interprétation, je pense qu'une épouse doit sentir ces choses-là. À des signes que nous, pour des raisons multiples, ne pouvons déceler. Ses absences de plus en plus répétées, de plus en plus longues m'ont semblé normales vu ses fonctions. Et je n'ai pas attaché d'importance à ses remarques de plus en plus fréquentes, de plus en plus acerbes à propos de ma mère. Sur son inutilité, son ignorance, sa façon de parler, de marcher, de cuisiner, de se vêtir. Ma mère dit que, pour un homme aussi ambitieux que lui, une épouse qui n'est qu'une servante ne suffit pas. Il lui faut quelque chose de plus. En outre, tout ce qui lui rappelle son passé de paysan le gêne, maintenant qu'il exerce de hautes responsabilités politiques. Mais il ne lui a pas laissé la possibilité de l'accompagner dans son irrésistible ascension. Ni d'avancer. Elle est toujours restée trois pas en arrière. Jamais vraiment à ses côtés. Comme l'ont toujours fait toutes les femmes de sa génération et de sa condition. Et elle a toujours tout accepté. Courageusement. Sans récriminations. Elle a accepté son absence pendant toute la durée de la guerre.

La solitude. Le dénuement. Les responsabilités. Malgré son désespoir, elle est lucide. Comme toujours. Le jour où mon père a décidé de nous quitter pour aller vivre avec sa nouvelle femme, elle le lui a dit. C'était la première fois qu'elle lui parlait. Je veux dire, la première fois qu'elle osait lui parler sans baisser les yeux. Je n'étais pas là. Je ne sais pas ce qu'il lui a répondu. Elle ne m'a pas rapporté leur discussion. Elle a seulement murmuré devant moi, comme pour elle-même : qui fait confiance aux hommes, croit pouvoir remplir d'eau un tamis. Je n'ai pas posé les questions qui me brûlaient les lèvres. Qui est cette femme ? Quand l'a-t-il connue ? Et cet enfant ? Où va-t-il s'installer ? Mais je suppose qu'il a tout planifié. Je ne sais pas si ma mère a demandé des explications. Elle ne m'a rien dit à ce sujet. Que peut-on bien dire à quelqu'un qui est déjà ailleurs et qui n'a plus que mépris pour tout ce qui le rattache à un passé qu'il veut oublier ? Ce qui est sûr, c'est qu'il n'a pas cherché à me voir. Et moi non plus. Il n'a peut-être pas eu le courage de m'affronter. Comment un père peut-il annoncer à son fils qu'il va fonder une autre famille, qu'il va effacer tout ce qu'ils ont construit ensemble ? Je ne lui pardonnerai jamais de nous avoir trahis. Je ne veux plus rien avoir à faire avec lui. Il a quitté l'appartement en emportant toutes ses affaires. Il est sorti de notre vie. Mais il a promis de nous verser une somme d'argent à chaque fin de mois pour subvenir à nos besoins. Tout d'abord, j'ai affirmé que nous n'avions que faire de son argent. Que j'allais me débrouiller. Mais ma mère a refusé. C'est la moindre des choses pour lui, il nous doit cet argent, a-t-elle dit. Le plus important maintenant, une fois le premier choc passé, c'est de faire en sorte que personne dans l'immeuble ne sache. C'est sa principale préoccupation. Il faut garder la face. Ne rien laisser paraître. Alors, elle m'a fait jurer de n'en parler à personne. Pas même à Lilas. Quand on demande à ma mère des nouvelles de mon père, elle répond très naturellement. Oui, il va bien. Non, il n'est pas là. Il est en mission. Et quand il revient, il doit repartir aussitôt. Il a beaucoup de travail. On ne le voit presque plus. Mais c'est ça, la politique. Elle continue même à recevoir les demandes et les doléances des voisins. Des dossiers de requêtes qui s'accumulent sur une étagère, et qui ne seront jamais transmis. Je sais, parce qu'elle me l'a confié, qu'elle est allée un matin, de très bonne heure, implorer le marabout de Belcourt, Sidi M'hamed. Elle a déposé des offrandes et allumé des cierges sur sa tombe. Elle a fait la promesse de recouvrir son tombeau du plus somptueux des tissus si mon père rentrait à la maison. Puis, ne voyant rien venir, elle est repartie quelques jours plus tard solliciter un autre saint, Sidi Abderrahmane, le patron de la ville, réputé pour venir en aide aux femmes abandonnées et aux enfants malades. Et elle a certainement consulté des voyantes et des taleb. En toute discrétion. Mon père n'est pas revenu. Mais l'essentiel est de faire comme si. Comme si rien n'avait changé dans notre vie. Il faut sauvegarder les apparences. Coûte que coûte. C'est pour les mêmes raisons que Lilas et moi devons prendre des précautions pour cacher notre relation. Dire que je n'ai même pas pu parler d'elle à Hamid ! Il n'y a que sa carrière qui le préoccupe. Du moins, je le crois. Il n'a appris le départ de mon père que le jour où il est revenu pour une permission. Plus d'un mois après. Ma mère ne voulait pas l'alarmer en lui téléphonant. Lorsqu'elle lui a annoncé la nouvelle sans faire aucun commentaire, il a eu l'air d'accuser le coup. En silence. Il s'est raidi, a détourné la tête puis il est sorti de la pièce et s'est enfermé dans la chambre. Je ne sais pas si, par la suite, il a tenté de revoir mon père. S'il est allé lui demander des explications. C'est son rôle, normalement. Il est l'aîné. Et à présent, vu la défection de notre géniteur, c'est lui le chef de famille. C'est certainement pour cette raison que ma mère reproduit avec lui le comportement qu'elle avait avec mon père. Elle est à son service. Et sur son visage, quand elle le regarde, se lit clairement la fierté qu'elle ressent d'avoir un homme à la maison, un homme de cette trempe, un homme sur qui compter. Toi, ce n'est pas la même chose, m'affirme-t-elle. Tu es mon petit. Tu le seras toujours. Hamid, lui, accepte toutes ses attentions. Sans penser à la remercier. Il ne semble même pas s'en apercevoir. Quand il vient en permission, il retrouve sa place dans notre chambre. Son lit est fait chaque matin. Ses vêtements propres et repassés. Et, sur la table de la salle à manger, son assiette est mise à la place de celle de mon père. Lui et moi sommes devenus presque étrangers. Il ne cherche pas à savoir ce que je fais. Je ne sais pas non plus en quoi consistent ses activités. Ce qu'est la vie d'un militaire au Sud. Je ne sais pas si, avec son unité, il plante des arbres pour le barrage vert imaginé pour contenir l'avancée du désert. Un beau projet. Je ne peux même pas lui en parler. J'ai bien essayé pourtant. Mais il se dérobe à toute discussion. Un jour, il a longuement feuilleté un des livres que j'avais posés sur ma table de chevet. *Les Chemins de la vie*, de Makarenko. Un livre sur les colonies pénitentiaires dans lesquelles étaient enfermés les mineurs délinquants en URSS. Il a ensuite levé les yeux vers moi et m'a dit: c'est ce qu'on devrait faire aux étudiants chevelus de ton université qui veulent déstabiliser le pays. Les enfermer dans des camps. Et de préférence au Sahara. Pour leur apprendre à vivre et à respecter les principes de la révolution. J'ai compris que nous n'avions plus rien à nous dire. Et que des principes éducatifs prônés par Makarenko, il n'en n'avait retenu qu'un seul : l'enfermement. Cela me fait un peu peur. Je ne comprends ni pourquoi ni comment il a pu se transformer à ce point. Lilas, tout nouvellement imprégnée de notions de psychanalyse, me répondrait : mais voyons, c'est évident ! C'est la relation au père. Rivalité et identification. Complexe d'Œdipe. Désir de tuer le père. Image sublimée du héros incarné par un père combattant, auréolé du prestige de la guerre de libération. Encore une séquelle de la guerre. Tous nos pères sont des héros. Forcément sublimes. On ne nous permet pas de l'oublier. Chaque commémoration, chaque slogan, chaque discours nous le rappellent. Nous devons nous montrer dignes du sacrifice de nos aînés. De ceux qui ont écrit l'histoire. Sang des martyrs et larmes des mères. C'est le soir, enfermée dans sa chambre, que ma mère pleure. Je l'entends. C'est à ces moments-là que me viennent des envies de meurtre.

1972-1982

Elle

Accélération. Le temps aujourd'hui n'est plus qu'une suite d'événements qui s'entrechoquent et répercutent leur écho dans ma mémoire. Noir. Blanc. Suite en noir et blanc. Avec quelques trouées de lumière. La vie se fraie un chemin, hésite entre désir d'oubli et souvenirs. Fragments pieusement recueillis. Comme fleurs séchées entre les pages d'un livre.

Souvenirs d'un soir grisé de tendresse. Maintenant est venu le temps des échappées et des courses éperdues vers un ailleurs qui n'existera pas seulement dans nos rêves. Ce soir, le ciel a basculé pour déposer doucement, tendrement, ses étoiles en moi. Nous nous sommes aimés. Et tu as inscrit en moi ton nom, en signes plus indélébiles que les tatouages sur le front de mes aïeules. Et tu es là, encore frémissant, à jamais présent dans les contrées les plus secrètes, les plus intimes de mon être. Vivant le souvenir de tes caresses, de mon corps tendu, offert, et submergé de plaisir. Tu es là, toi mon aimé. Vivant et clair le souvenir de ta main sur mes cheveux, de ta main sur mes épaules, de ta main légère, plus légère que souffle, plus douce qu'un frais matin de printemps, retraçant les contours de mon corps et mon corps se défaisant au gré de tes désirs, abolissant toute nécessité autre que cette vive lumière en moi, puis revenant au

monde, à jamais autre, à jamais tienne. Tu disais vouloir
parcourir les chemins les plus périlleux pour atteindre la
source. Ardente soif de ceux qui ne savent pas, qui ne peuvent
pas attendre l'aube pour étancher leur désir de lumière.
Tu es là, près de moi, et cela seul compte en cet instant.
Nous nous marierons. Nous aurons des enfants. Nous irons
ensemble sous le soleil dans la merveilleuse certitude d'un
été qui nous inonde de sa gloire.

Signé : *Fleur de nuit.*

Ces mots, ces phrases me font sourire aujourd'hui.
J'ai peine à croire que j'ai été celle qui, un soir, a jeté
ces lignes sur un papier que je viens de retrouver au
fond d'un sac. Il me semble lire des phrases sorties tout
droit des romans à l'eau de rose que je dévorais quand
j'avais douze ans, l'été de l'Indépendance. Et pour la
première fois, je m'aperçois que je ne suis pas sortie
indemne de mes premières lectures. Pourtant, le jour
où j'ai écrit ces mots, j'avais vingt ans, et le sentiment
de m'être enfin détachée de l'inconfort d'une adolescence
tourmentée, envahie d'ombres et d'incertitudes. Ces
mots datent du jour où je me suis donnée à Ali. Je les
ai écrits, je m'en souviens maintenant, en rentrant chez
moi encore imprégnée de son odeur, de la chaleur de
son corps. J'ai besoin de mettre en mots toutes mes
émotions, toutes mes révoltes. Et je retrouve là une
exaltation qui m'apparaît à présent si excessive, si
puérile, que j'ai du mal à me reconnaître. J'ai l'impression
que j'ai beaucoup changé depuis. Mais c'est peut-être
à cause de tout ce que je vois, de tout ce que j'apprends.
Dire que je me suis inscrite en psycho sans véritable
vocation ! Simplement parce que rien d'autre ne m'attirait.
Et maintenant, je suis convaincue que ce n'était pas un

hasard. Tout me passionne dans ces études. Tout ce qui est exploration, découverte et connaissance des mécanismes à l'origine des comportements humains. Les possibles infinis de la nature humaine. Mais ce n'est qu'en deuxième année que j'ai vraiment commencé à m'intéresser à toutes les matières enseignées. Une fois passé le cap des modules de statistiques et de psychométrie. Je n'ai jamais aimé les chiffres, les courbes, les schémas, les graphiques. Contrairement à Ali qui s'est inscrit à un module de sciences éco, ab-so-lu-ment in-dis-pen-sa-ble pour sa carrière dit-il en martelant les mots, et passe son temps à étudier des graphes, des diagrammes, des histogrammes et à en interpréter les variations. Quant à moi, les seules variations que je dois interpréter depuis quelques semaines, sont liées à son humeur. Il me faut étudier l'intensité, la durée, la fréquence des variations. Courbes ascendantes ou descendantes. Avec un plateau assez constant. Et je ne suis pas la seule en cause. Il va bientôt être appelé pour « s'acquitter » de son service national, et il se fait du souci pour sa mère, qui devra rester seule. Son frère Hamid a été envoyé en poste en URSS, en tant qu'attaché militaire de l'ambassade d'Algérie. Mais Ali ne veut pas aller sous les drapeaux. Parce qu'il a le sentiment que tout le battage fait autour du « devoir national », plus particulièrement pour les étudiants, n'est en réalité que manœuvres pour étouffer toute tentative de contestation. Depuis que l'organisation des étudiants dont il a fait partie a été dissoute l'année dernière, après une grève encore plus dure que la première, des mesures ont été prises pour « mater » une jeunesse jugée trop turbulente, trop concernée par la Révolution. Une Révolution que quelques hommes ont décrétée propriété exclusive des valeureux combattants. Mon père était lui aussi un valeureux combattant. Il est mort les armes à la main. J'en sais plus sur lui à présent. Grâce à mon oncle Saïd. Mon oncle Saïd est un ancien moudjahid resté fidèle, vraiment fidèle, aux idéaux qui l'ont conduit à rejoindre les rangs de l'Armée de libération nationale en même temps que son frère, mon père, au début de la guerre. Quand il vient nous voir, Didi Saïd comme on l'appelle familièrement, nous raconte sa vie au maquis. Il évoque ses peurs, ses doutes, son espoir de rester vivant pour voir l'Algérie libre. Ne serait-ce qu'un seul jour. Il martèle : Liberté, Égalité, Justice et Démocratie. Et pour lui, chacun de ces mots ne peut garder sens que s'il pèse de tout son poids sur la conscience des hommes. Des hommes prêts à renoncer à tout privilège personnel pour construire l'Algérie nouvelle. Et ces hommes-là, il y en a beaucoup dans le pays, nous dit-il. Des militants véritables dont l'engagement reste le même que pendant la lutte armée, contre les servitudes de la colonisation, contre les inégalités, contre les injustices, et surtout contre toute forme de dictature. Mais ce ne sont pas ceux-là qu'on entend. Ce ne sont pas ceux-là que l'on voit à la télévision. Quand je le vois s'emporter et lancer ses anathèmes, je pense au père d'Ali. Il fait partie de ceux qu'on voit souvent à la télévision. En fait, on ne le voit plus qu'à la télévision. Et jamais dans l'immeuble. Jamais avec son fils ou sa femme. Cela fait maintenant plus de deux ans qu'il les a quittés pour se marier une seconde fois. Tout d'abord, Ali n'a rien voulu me dire. Sa mère le lui avait interdit. Elle avait honte. Honte de ce qu'elle considérait plus comme une déchéance que comme une trahison. Mais elle a fini par en parler à ma mère. Et elles sont devenues très proches maintenant.

Maman lui apprend à parler français, et je crois même qu'elle lui apprend à lire et à écrire. En cachette. Elles savent toutes deux que nous nous aimons, Ali et moi. Que nous faisons des projets. Et cela ne déplaît ni à l'une ni à l'autre. Bien sûr, elles ignorent l'essentiel. Pour Maman, je suis toujours cette petite fille pure et fragile qui ne sait rien des réalités de la vie. Petite fille qu'elle doit protéger, préparer à devenir une femme. Elle a déjà commencé à ranger dans des valises les pièces qu'elle achète une à une pour mon trousseau : couvertures, draps, serviettes, nappes, napperons, coupons de tissu, que sais-je encore ! J'ai beau lui dire que c'est prématuré, que bientôt je gagnerai ma vie et que je pourrai acheter moi-même petit à petit ce dont j'aurai besoin, rien n'y fait. Une fille ne doit pas sortir « nue » de la maison familiale, dit-elle pour faire taire toute objection. Il y va de l'honneur de la famille. Mohamed est mis à contribution. C'est le chef de famille. Et il est médecin. En dehors de son service à l'hôpital, il fait des remplacements dans des cabinets privés. Ce qu'il gagne nous permet d'améliorer considérablement notre ordinaire. Et Maman ne se débat plus dans les difficultés matérielles qui faisaient de chaque fin de mois une épreuve dont elle ne se tirait qu'au prix de privations personnelles. Elle n'avait même pas de bijoux à porter au mont-de-piété, comme le font la plupart des femmes pour se sortir de leurs difficultés. Ce n'est pas avec une pension de veuve de combattant que nous pouvions vivre décemment. Il est vrai qu'un sacrifice ne doit pas se monnayer, mais bien des veuves doivent se sacrifier pour élever leurs enfants. Maintenant, le statut de ma mère a complètement changé. Pour les voisines, elle est devenue « la mère du docteur ». L'ambition de toute mère. Un jeune homme qu'on cite en exemple aux enfants. Un docteur que l'on vient consulter à toute heure du jour ou de la nuit. Pour toutes sortes de raisons : très fortes douleurs « verticales », à la nuque, mal de dos à cause du nerf « asiatique », sans oublier l'éternelle « intention » artérielle, qui fluctue selon les contrariétés. Parfois on se sent bien et « l'intention » est bonne. D'autres fois, sous l'effet d'une colère ou d'une contrariété, elle peut monter. On a alors une mauvaise « intention ». Et qui peut dégénérer. Samir fait collection de ces perles. Il a une capacité incroyable de tout tourner en dérision. Et lui-même en premier lieu. Avec une lucidité étonnante. Personne ne résiste quand il prend sa guitare et improvise des chansons sur le « *dégoûtage* » des jeunes, sur les pénuries et les combines. Maman aussi a cette qualité. Celle de rire de tout, et malgré tout. Et depuis que je suis « casée » et qu'elle n'a plus de problèmes matériels, elle est beaucoup plus détendue. Elle se sent libérée de ce souci majeur, celui de voir sa fille « tomber » sur un bon parti, un fils de famille. C'est ce qui fait, peut-être, qu'elle a accepté de ne plus porter le haïk. C'est Mohamed qui lui en a parlé le premier. Et nous avons renchéri. Elle s'est laissé convaincre très vite. Sans objection ni regret, je crois. Je pense même qu'elle devait attendre ce moment depuis longtemps. Mohamed prend son rôle de chef très au sérieux, allant jusqu'à vouloir contrôler nos résultats scolaires. Ce qui donne lieu à des disputes mémorables entre lui et Samir, rebelle à toute autorité. Mais ma mère se sent soulagée maintenant. Ou du moins épaulée. À présent il y a un homme à la maison, et nul autre que lui ne peut se permettre de lui imposer sa volonté. Ni son frère, mon oncle, ni son propre père.

Il n'a pas été facile pour elle, les premiers temps de son dévoilement, de s'aventurer dehors. Il lui a fallu vaincre à la fois ses préjugés et son appréhension, sa peur de choquer, de faire parler d'elle. Il lui semblait qu'elle ne savait plus marcher dans la rue. Sans la protection du voile, elle avait l'impression que tous les regards étaient fixés sur elle, que tout le monde se retournait sur son passage. Après avoir passé toute une vie à essayer de n'être plus qu'une ombre blanche, à se soustraire aux regards, à bien se garder de laisser dépasser la moindre mèche de cheveux, le moindre petit bout de jambe ou de bras, c'est sans doute une réaction normale. Et elle n'a pas duré longtemps. Elle s'est habituée bien plus vite qu'on ne l'aurait pensé. Amine et Samir se sont cotisés pour lui offrir un sac et des chaussures. Mohamed lui a acheté un imperméable, un tailleur et des chemisiers qu'elle boutonne jusqu'au cou. Mais elle a continué à se couvrir la tête. Jusqu'au jour où elle m'a demandé de l'accompagner chez la coiffeuse. Elle voulait se faire faire une coupe et une mise en plis. Je crois que c'était la première fois de sa vie qu'elle ne se coiffait pas elle-même. Je l'ai regardée pendant tout le temps qu'elle se faisait coiffer. Elle avait une expression bizarre sur le visage. Une sorte d'étonnement. On aurait dit qu'elle apercevait une autre personne dans le miroir. Moi-même, j'ai eu l'impression de découvrir une autre femme. Depuis que j'en ai souvenir, je ne l'ai jamais vue prendre soin d'elle. Et dans la rue, les regards des hommes me l'ont confirmé. Je n'avais jamais remarqué à quel point elle pouvait être belle. Mais je crois qu'on ne pense jamais à une mère en ces termes-là. Ce jour-là, j'ai pris conscience du sacrifice immense qu'elle s'était imposé en se consacrant exclusivement à nous. Les jours suivants, elle a dû affronter les réactions des voisines. Des réactions très diverses. De l'admiration la plus enthousiaste aux silences gênés, voire désapprobateurs. Toujours est-il que certaines voisines, parmi celles qui étaient encore voilées, ont suivi son exemple. Timidement d'abord. Étape par étape. Comme elle.

Depuis, nous faisons tous des pronostics et nous guettons les avancées de la Révolution dans l'immeuble.

Lui

C'est fait. C'est officiel. Nous allons nous marier. La route est libre. Pas de service national. J'ai eu ma dispense. La précieuse carte jaune. Parce que, à présent, en l'absence du père et du frère aîné déjà militaire, je suis chef de famille. Du moins pour les autorités militaires, dûment informées de notre situation par un des leurs. Mon frère Hamid. C'est bien la première fois que je peux dire que le départ de mon père m'a rendu service. À son corps défendant sans doute. Depuis qu'il est parti, il ne s'est jamais soucié de nous. Et, comme un bonheur n'arrive jamais seul, j'ai trouvé, tout de suite après ma prestation de serment, un cabinet pour exercer. En association avec Rachid, un copain de fac. Il n'est pas très bien situé, mais, vu les conditions actuelles, je n'ai pas à me plaindre. J'ai été admis au barreau et me voilà gratifié du titre de « maître » par les locataires que je croise dans l'immeuble de Bab El Oued où je me suis installé. Je commence à gagner ma vie. J'ai eu du mal à demander des honoraires à mon premier client. Mais j'ai gagné le procès. Ma première affaire. Une affaire d'escroquerie. Et Lilas a enfin accepté de partager ma vie. Il a fallu bien entendu passer par les étapes réglementaires. La demande en mariage a été faite dans les plus pures règles de la tradition. Ma mère est allée chez la mère de Lilas avec une de mes tantes, venue spécialement pour l'occasion. Gâteaux et bouquet de fleurs. Elle y était attendue par toute la famille. Je n'ai pas eu le droit de me montrer. Et, comme le veulent les usages, Lilas n'a fait qu'une brève apparition dans la pièce où les femmes étaient installées pour discuter de notre future union. C'est comme si nous n'étions pas directement concernés. Il n'y a cependant pas eu de marchandage. Pas d'exigence. Juste un arrangement préalable entre les deux mères qui se voient presque tous les jours. Habituellement c'est l'occasion de faire de la surenchère. Sur la valeur supposée de la jeune fille. Nous en avons beaucoup plaisanté, Lilas et moi. Elle aurait pu valoir plusieurs chamelles, comme chez les Touaregs, ou quelques têtes de bétail si nous nous avions vécu dans un douar à la campagne. Mais il faut bien faire quelques concessions à la modernité ! Et les mères sont là pour faire respecter les coutumes. Bien que la mère de Lilas semble s'être affranchie depuis qu'elle a décidé de ne plus se voiler pour sortir, ce qui a causé beaucoup de remous dans l'immeuble. Ma mère n'a pas osé faire de commentaires devant moi, mais j'ai bien vu qu'elle en a été choquée. Depuis que mon père nous a abandonnés, au lieu de se sentir libérée des contraintes qui pesaient sur elle, elle vit dans le culte du passé. Comme si tout s'était arrêté pour elle avec le départ de mon père, ou même avant. Elle passe des journées entières seule dans l'appartement. Elle ne sort que très rarement, et seulement pour faire le marché ou de brèves visites à la mère de Lilas. Quand je lui en fais le reproche, elle se défend en disant qu'elle a du mal à monter les huit étages. Et qu'une fois par jour lui suffit bien. Chaque fois que je rentre, elle est assise sur son matelas, les jambes repliées sous elle, toujours à la même place, les mains posées sur les genoux, immobile. C'est comme si elle se retirait en elle-même. Une espèce d'absence au monde, de stagnation. Sans voir le temps passer, sans rien attendre. Elle n'allume la télévision que lorsque la nuit tombe. Parfois elle reste dans la pénombre jusqu'à ce que je vienne. Je me demande souvent à quoi elle peut penser quand elle est comme ça. Il m'arrive de l'observer sans qu'elle n'y prenne garde. De profonds plis d'amertume courent autour de ses lèvres et donnent à son visage une expression de tristesse perpétuelle. Et sous ses paupières froissées, ses yeux n'ont plus le même éclat. Elle porte toujours ses robes amples et fleuries, serrées à la taille par une ceinture tressée, mais elle semble s'être amenuisée. Une sorte de fragilité qui fait monter en moi une vague d'émotion et de colère. Je ne pardonnerai jamais à mon père le mal qu'il nous a fait. Pas même sur son lit de mort. Nous ne l'évoquons jamais. Elle continue à recevoir par la poste le mandat qu'il lui adresse chaque mois, mais c'est le seul lien qui subsiste entre lui et nous. Un mandat dont le montant nous fait vivre tout juste correctement. Hamid envoie lui aussi de l'argent et rapporte avec lui, quand il vient, des cartons entiers de ravitaillement qu'il se procure dans les magasins de l'armée, toujours bien approvisionnés. Ma mère ne s'anime que quand nous sommes tous ensemble à la maison. Elle retrouve alors toute sa vivacité. Elle nous sert, veille à ce que rien ne manque sur la table avant de s'installer pour manger, et trouverait inconcevable qu'il en soit autrement. J'ai parfois des scrupules à la voir aussi attentive, aussi dévouée, bien plus que je ne le suis moi-même envers elle. Mais tout changera quand Lilas sera là. Ma mère aura enfin la fille qu'elle n'a jamais eue. C'est ce que je l'ai entendu dire à la mère de Lilas. Elles font assaut de formules de politesse quand elles se voient, comme toutes les femmes. C'est à qui ira le plus loin dans le renchérissement. C'est ce qu'on appelle entre nous les *salamalecs*. Quand elle a fait allusion à la fille qu'elle n'avait jamais eue, j'ai réalisé qu'elle portait, sans doute, cette autre blessure en elle. Je n'ai jamais su pourquoi ma mère n'avait pas eu d'autres enfants après la libération de mon père. Elle était encore jeune. Elle s'est mariée à quinze ans. Mariée sans amour, je suppose. Sans avoir connu ou vu mon père. Mais ce sont des questions qu'on ne peut pas poser à sa mère. Parfois je me demande ce que peut bien être une vie sans amour. Partager toute une vie avec quelqu'un qu'on n'a pas choisi. Aussi bien pour un homme que pour une femme. Mais tous semblaient, et semblent encore s'en accommoder. Comment toute une société peut-elle fonctionner et s'organiser en faisant totalement l'impasse sur un sentiment aussi essentiel, aussi beau que l'amour? Mariages arrangés et stricte séparation des sexes étaient, et sont encore souvent, les fondements de l'organisation sociale et de la morale. En fait, encore aujourd'hui, dans certaines familles que je connais, j'ai l'impression que l'homme ne prend pas femme seulement pour lui, mais surtout pour le groupe familial, plus particulièrement pour sa mère. Pourtant, dans les poésies arabes, il est très souvent question d'amour. C'en est même le thème dominant. La beauté de la femme aimée y est chantée, magnifiée à longueur de strophe. Mais ce sont toujours des amours folles, très souvent impossibles ou encore contrariées par des tiers ayant autorité sur l'objet de ces passions. Ainsi ces vers de celui qu'on appelait *Medjnoun Leïla*, le fou de Leïla, le poète arabe Qays Ibn el Moulawah qui, au VIIIᵉ siècle, avait trouvé ces mots pour dire l'amour qu'il portait à sa belle :

> « *En Leïla j'ai fait naufrage*
> *Son approche est une oasis de fraîcheur*
> *Pour mes yeux*
> *Et celui qui la dénigre*
> *Augmente en moi*
> *Une stupeur admirative*
> *Pour ma Leïla* [1]. »

Ce sont des vers que j'ai appris pour épater Lilas, trouvant la coïncidence de l'homonymie trop belle pour ne pas la relever et en faire usage. L'auteur de ce poème, n'ayant pu épouser son aimée, a fini par perdre la raison et errer dans le désert, à demi nu. Rien de pareil ne nous arrivera. Nos familles ont donné leur accord. Et mieux encore, progrès considérable depuis ce temps-là, l'alliance des familles ayant été célébrée par des youyous destinés à informer tout le voisinage, nous pouvons sortir de l'immeuble et y entrer ensemble sans que personne n'y trouve à redire. Étant bien entendu que nous devons attendre le mariage pour pousser plus loin nos relations. Pour tous, cela va de soi. Seulement voilà, nous n'avons pas respecté la tradition. Et si pour tout le monde Lilas est ma fiancée, pour moi, elle est déjà ma femme. Elle l'est depuis le jour où nous nous sommes vraiment aimés. Il lui a fallu beaucoup de temps pour vaincre ses appréhensions. Des questions, des peurs, des doutes. Dont un qu'elle ne m'a avoué

---

1. Traduction de René R. Khawam.

que bien après la première fois. Celui d'avoir été «liée» par sa mère quand elle était petite. Elle m'a expliqué que c'était un rite auquel on soumettait les fillettes pour empêcher qu'elles ne soient déflorées avant le mariage. Sa mère en parlait avec les voisines, disant qu'elle n'avait rien à craindre puisque sa fille avait été liée par un rituel très simple qui consiste à convoquer une femme pour qu'elle vienne nouer un fil entre les jambes écartées d'une fillette encore impubère en prononçant des formules censées garantir l'efficacité du stratagème. Et pour que le souvenir de la cérémonie soit visible, on pratique une légère incision sur le haut de la cuisse, afin d'y imprimer une cicatrice horizontale. Un peu comme un sceau. La fillette, parfaitement consciente de ce qui se dit et se fait, se croit donc protégée, hors d'atteinte, et doit attendre d'être dénouée le soir des noces par la même femme, ou du moins avec le même fil précieusement conservé par la mère. On précise encore, devant la fillette, que toute pénétration est impossible sans ce rituel de dénouement. On explique même certaines défaillances mécaniques du marié le soir des noces par le fait que l'on a oublié de dénouer l'épousée! Ce qui m'étonne, c'est que Lilas puisse accorder foi à de telles sornettes, à ces croyances d'un autre âge. Elle m'a dit avoir totalement oublié cet épisode jusqu'au jour où nous nous sommes retrouvés seuls dans l'appartement vide d'un copain. C'était peut-être une manière de se protéger. D'expliquer le tremble-ment incoercible de tout son corps quand je l'ai prise dans mes bras. Un tremblement que ni mes caresses, ni mes mots n'ont pu apaiser. Elle prétend maintenant qu'il était dû au désir qu'elle avait de moi. Un désir trop longtemps contenu, qui n'a trouvé d'autre moyen pour

122

qu'elle en prenne enfin conscience. C'était, pour moi aussi, la première fois. La première fois avec une fille vierge. J'avais peur de lui faire mal. Elle avait peur de ne pas savoir se donner. Nous avons été impatients, peut-être maladroits, juste assez maladroits pour que le plaisir vienne nous surprendre avec la force d'une vague libérée par une digue enfin rompue. Et maintenant... maintenant elle est à moi.

Elle

J'ai beaucoup de chance. Je crois que je suis née sous une bonne étoile. Trouver un travail, mon diplôme encore tout frais en poche, sans même avoir postulé, et qui plus est dans un centre de santé à quelques centaines de mètres de chez moi, que demander de plus ? Mais il faut reconnaître que, dans mon domaine, l'offre est bien supérieure à la demande. Je fais partie des premières promotions post-Indépendance de la fac de sciences humaines. Et de ce fait, me voilà seule psychologue attitrée au service d'un grand nombre de personnes. Des hommes, des femmes, qui me donnent généreusement du « docteur » au détour de chaque phrase. Cela me fait tout de même un peu peur. Malgré tous les stages que j'ai suivis, je n'ai pas d'expérience et j'ai toujours été, jusqu'ici, accompagnée par mes professeurs. Bien sûr, la plupart de ceux qui viennent dans mon service le font le plus souvent par curiosité. Ils ne voient pas très bien comment je pourrais les guérir puisque je ne soigne qu'avec des mots, et qu'ils sortent très souvent de la consultation sans prescription écrite, sans ordonnance – ce précieux viatique dont Mohamed m'a raconté qu'un certain patient, venu consulter pour la première fois de sa vie, lui avait dit qu'il ne l'avait pas guéri malgré le fait qu'il l'ait porté autour du cou avec ses talismans, scrupuleusement, pendant plus d'un mois. Les consultations sont gratuites. Depuis l'Indépendance, la médecine est gratuite pour tous. Aussi le centre de santé ne désemplit pas. Et les salles d'attente n'ont rien à envier aux hammams. D'une part parce qu'il y fait souvent très chaud, et d'autre part parce que les femmes ont trouvé là un nouvel espace de rencontres. On ne va pas au centre de santé seulement pour se soigner ! On y passe le matin, avant d'aller faire les courses. Ou après. On dépose les couffins remplis de provisions à côté de soi et on s'installe pour plusieurs heures. Et bien entendu, on y amène les enfants. Tous les enfants. On s'y retrouve entre gens du quartier. On fait connaissance. On détaille et on compare les maux. On échange des nouvelles, et de précieux conseils. On se donne rendez-vous pour une prochaine fois. On peut même y conclure des alliances. Parfois, lorsqu'on y rencontre un malade, on s'enquiert de l'évolution de son mal, et des diagnostics sont posés avant même celui des différents médecins affectés au centre. Des remèdes miracles sont proposés, échangés et chaudement recommandés. Des adresses aussi. Adresses de *taleb* dont l'efficacité ne peut être mise en doute. On peut y passer des heures sans impatience, sans ennui. On y apprend tant de choses ! Il suffit de s'asseoir dans la salle réservée aux femmes et de prêter l'oreille. Beaucoup de femmes viennent ici parce qu'on leur a parlé de la pilule contraceptive, qu'elles appellent «cachet». Un cachet miracle qu'elles se font prescrire très facilement par la gynécologue du service. Sur présentation, bien entendu, du livret de famille. Et le mari n'est pas toujours consulté, ni même informé de ce recours à la science pour espacer

125

les grossesses et avoir ainsi un an ou deux de répit. Dans le centre, le mot « limitation » est banni. Il n'est pas question, du moins officiellement, de demander aux femmes de s'arrêter de procréer. Ce serait contraire à la politique de natalité prônée par les autorités. Mais les principales concernées commencent à voir les choses autrement. Et presque tout le monde sait aujourd'hui qu'il existe un moyen d'éviter l'angoisse de l'attente de l'écoulement du sang libérateur. Et, plus grave encore, les jeunes filles le savent aussi ! Et même si elles doivent ruser pour se procurer la précieuse ordonnance – ce qu'entre filles on appelle « le visa » –, même s'il faut connaître le copain qui pourrait avoir des relations dans le milieu médical, ou s'adresser à la copine qui vient de se marier et qui dispose chez elle d'un stock constamment renouvelé de plaquettes de pilules, plus rien n'est pareil. Et si on ne connaît personne et qu'on ose quand même avoir des relations avec celui qu'on aime, il faut prendre d'autres précautions, ou assumer les risques d'un avortement sordide. C'est arrivé à Naïma, une copine de fac. Follement amoureuse d'un garçon rencontré sur les bancs de l'université, elle voulait cependant conserver sa virginité. Ce qui ne l'empêchait pas d'avoir avec son ami des relations qu'on qualifie entre nous de « flirt poussé ». Jusqu'au jour où elle s'est retrouvée enceinte, sans réaliser ce qui lui arrivait. J'avais entendu un jour Mohamed parler des nombreuses « enceintes vierges » qui se présentaient avec leurs parents en consultation dans les services de gastro-entérologie pour suspicion de tumeur ou de fibrome, mais j'avais du mal à y croire. Et j'ai toujours entendu nos mères mettre en garde les jeunes filles et les fillettes pour que, après le passage des hommes au hammam, elles ne s'assoient pas dans la salle chaude avant d'avoir énergiquement nettoyé leur place, de peur qu'elles ne soient fécondées par un quelconque spermatozoïde qui aurait réussi à se glisser traîtreusement dans un orifice minuscule destiné à de tout autres fonctions ; mais là aussi, je pensais que cela faisait partie des affabulations destinées à entretenir la peur de l'homme que doit ressentir toute fille pubère. Je sais maintenant que c'est possible. Possible d'être enceinte sans avoir de vrais rapports. Nous nous sommes toutes cotisées pour permettre à Naïma d'avorter. En même temps, son ami s'est empressé d'aller oublier cet épisode dans d'autres bras. Et c'est ainsi qu'elle a rejoint la cohorte des filles séduites et abandonnées, dans la plus pure tradition des mélodrames et des romans-photos dont je me suis gavée autrefois. Peu après cette histoire, j'ai demandé à Ali s'il m'aurait épousée si je n'avais pas été vierge, si je ne m'étais pas gardée pour lui. Il a hésité. Il a été très embarrassé par la question. Sans doute parce qu'il ne se l'était pas posée. Il était sûr de ma pureté. Il s'en est tiré en plaisantant. Tu ne pouvais être qu'à un seul homme, tu me l'as dit toi-même. Et ce ne pouvait être que moi. Nous étions destinés l'un à l'autre. Et on ne peut rien contre le destin. Manière assez habile d'éluder. Mais je me pose souvent la question. Jusqu'où peut aller le détachement d'un homme qui se dit libéral et débarrassé de tout préjugé ? Je reste moi-même entravée par des contradictions dont je ne peux me dépêtrer. Il y a beaucoup de questions que je continue à me poser. Si bien des choses ont été dites, il n'en reste pas moins qu'il y a des sujets que je n'arrive pas à aborder avec Ali. Pas encore. Je me suis engagée. De façon officielle. Sans que personne ne m'y ait contrainte. Mon avenir se dessine de plus en plus nettement. J'avance sur une route balisée avec l'illusion d'en avoir tracé l'itinéraire, mais je reste encore pleine de doutes. Je sais bien que tout engagement implique des renoncements. En fait, j'ai la certitude d'avoir construit des rêves à la mesure du possible. Sans me laisser prendre au piège de l'inattendu, de l'imprévisible. Je me suis engagée dans le mariage comme si c'était la seule réponse possible aux questions que je me posais. Une rencontre, une seule. Un visage, un seul. Des mots d'amour, très rares, mais qui m'ont donné le sentiment d'exister. Et cela a suffi pour que je me lance dans la grande aventure de la vie. Ou du moins ce que je croyais être le point de départ de quelque chose d'exaltant, d'unique, de merveilleux. Cela se réduit aujourd'hui à quelques escapades sans grand risque. Des risques que je maîtrise parfaitement, par le mensonge et toutes les précautions prises pour que personne ne sache que j'ai des relations sexuelles avec celui qui n'est encore que mon fiancé. Contrairement à mes copines, je n'ai aucune difficulté pour me procurer la pilule. Je n'ai qu'à invoquer, à l'intention des responsables de la pharmacie du centre, des femmes en détresse, des amies à aider, pour pouvoir disposer d'autant de boîtes de pilules que je veux. Il m'arrive souvent de dépanner des copines. Le problème, c'est de tout dissimuler à ma mère. Cacher soigneusement ma plaquette dans des endroits où elle ne pourra jamais la découvrir. Je pense qu'elle tomberait de haut si elle savait que sa fille, innocente et vertueuse, si discrète et si différente des autres, se vautre chaque fois qu'elle le peut dans les bras d'un jeune homme, si poli, si discret lui aussi, si « comme il faut » ; et surtout, qu'elle y prend plaisir ! Un plaisir tel que la coupable de ce péché se demande pourquoi elle a attendu si longtemps pour sauter le pas. Et c'est maintenant seulement que je me pose des questions sur le désir et la jouissance des mères. De la mienne surtout. Une mère dont la vie de femme, prématurément écourtée, s'est résumée à quelques étreintes. Je ne sais rien d'elle, de son être intime. Je sais simplement qu'elle a un corps remarquablement conservé, qu'elle regorge de vie, d'amour, de tendresse qu'elle déverse généreusement, exclusivement sur ses enfants. Et qu'elle ne semble pas en souffrir. En ce moment, elle souffre seulement des premières manifestations de la ménopause, des bouffées de chaleur qui la laissent pantelante, anéantie. Elle en discutait l'autre jour avec l'une de ses amies qui lui racontait justement qu'elle n'osait en parler avec personne, pas même à son mari, de peur d'être rejetée ou d'être considérée comme inapte. Inapte à la procréation, donc inapte comme épouse ou à donner du plaisir au mari. Des maris qui risquent alors d'aller chercher ailleurs. Elle est partout présente, cette terreur des femmes. La terreur d'être abandonnée. La terreur de perdre sa virginité. La terreur de ne pas satisfaire les désirs multiples de l'homme. La terreur de susciter des critiques. La terreur de ne pas pouvoir accéder au rang de « mère de fils » et d'en tirer les avantages très convoités du statut de future reine-mère. Ce sont ces angoisses, ces terreurs que je côtoie journellement. Ainsi cette jeune fille amenée en consultation par sa mère. Une jeune fille murée dans un mutisme qui s'est déclenché tout de suite après une demande en mariage. Je me suis d'abord assurée qu'elle ne présentait aucune lésion des cordes vocales. Ce n'est qu'au bout de plusieurs séances que j'ai pu dénouer le fil. Remonter à l'enfance, pendant laquelle elle avait joué à des jeux « interdits » avec un de ses cousins qui vivait dans la même maison. Et prendre alors conscience que ce mutisme profond, accompagné de troubles psychiques et physiques divers comme le refus de s'alimenter, un dysfonctionnement du sommeil et la disparition des menstrues, n'était qu'un mécanisme de défense. Je n'ai rien pu faire pour elle, parce que la mère elle-même ne concevait pas que sa fille puisse jamais avouer l'ignominie dont elle s'était rendue coupable ou qu'elle avait subie. Dès le jour où sa fille m'a parlé, elle n'est plus revenue. C'est cela qui me révolte, et situe les limites de mes attributions. Comment se battre contre toute une société qui puise ses forces dans le déni de toute transgression et s'attache uniquement à la sauvegarde des apparences ? Moi-même, ne suis-je pas obligée de d'en passer par là ?

Lui

Je ne sais pas qui a un jour posé cette question : quand fond la neige, où va le blanc ? Voilà plusieurs mois que cette question m'obsède. M'obsède l'absurdité évidente d'une question à laquelle pourtant je ne cesse de chercher des réponses. Et surtout une question dont je transpose les termes pour les adapter à toutes les situations auxquelles je suis confronté. Les faits, les événements dont on parle et dont la rue s'empare, les spectacles auxquels j'assiste presque quotidiennement. Ainsi dans les rues d'Alger on croise, presque à chaque coin de rue, des hommes et des femmes venus d'ailleurs, de toutes les parties du monde, pour trouver refuge dans un pays qu'on dit être le phare du Tiers-Monde ou La Mecque de la Révolution. Des leaders, des opposants politiques persécutés, empêchés d'exercer des droits aussi essentiels que la liberté d'expression et le principe de justice, des représentants des minorités opprimées recherchés pour délit d'opinion ou victimes de l'arbitraire et de la dictature. Prendre un café ou une bière à la brasserie des Facultés à la table voisine de celle de Kathleen et Eldridge Cleaver ne nous étonne même plus. Les Black Panthers font partie de notre vie ; leur combat, les idéaux qu'ils défendent sont bien évidemment les nôtres. De même pour le FPLP, le Front populaire de libération palestinien, et l'OLP, qui représentent l'avant-garde de la révolution globale arabe. Et la guerre des Six-Jours, la défaite éclair des pays frères, a laissé ici un goût d'amertume qui ne s'effacera pas de sitôt. Nous sommes logiquement et farouchement solidaires du Frelimo au Mozambique, de l'Unita en Angola, de l'ANC de Mandela en Afrique du Sud, de la Révolution cubaine du Leader Maximo Fidel Castro, du Front de libération de l'Érythrée, des indépendantistes basques, du Chili de Salvador Allende ; Che Guevara, saint et martyr, a donné, de son vivant, son nom à un très grand boulevard au centre de la ville. Tout cela est d'ailleurs consigné dans un article de la première Constitution promulguée au lendemain de l'Indépendance, en 1963. Il y est dit que « la Révolution algérienne garantit le droit d'asile à tous ceux qui luttent pour la liberté ». Sans oublier notre attachement indéfectible et irréversible à l'option socialiste dans la continuité des valeurs de novembre 1954. Et pendant ce même temps, au nom de ces mêmes valeurs, on assassine çà et là des opposants ou, dans le meilleur des cas, on les emprisonne, on dissout les organisations d'étudiants et on étouffe toute velléité de contestation. Avec les mêmes pratiques que celles qu'on dénonce dans tous les organes de presse et à longueur de discours. Quelque chose m'échappe. Ce doit être le blanc. Le blanc qui disparaît on ne sait où quand la neige fond. C'est en tout cas du même ordre, du point de vue de la logique. À moins que je n'aie été contaminé ou endoctriné sans le savoir par les ennemis de la Révolution et que je ne sois devenu un dangereux contre-révolutionnaire qui s'ignore. Mais je ne fais que constater. Comme beaucoup d'autres. À voix basse, et seulement en présence de rares copains. Les hommes de la sécurité militaire ne sont jamais bien loin. Lilas me dit que je devrais plutôt penser à notre avenir. À ce que nous voulons construire ensemble. Mais c'est justement ce qui me fait peur. Nous allons nous marier, nous allons avoir des enfants. Deux : nous n'en voulons pas plus. Des enfants que nous aimerions libres et heureux, comme nous avons cru pouvoir l'être au lendemain de l'Indépendance. Sans aller jusqu'à exiger le bonheur ou l'aisance, je pensais que nous pourrions sans doute avoir droit au bien-être. Aujourd'hui, pour nous, le bien-être se mesure à la quantité d'eau que nous avons réussi à stocker dans la baignoire, aux quelques litres d'huile que ma mère a obtenus au bout de trois heures de queue devant les portes du Monoprix de Belcourt, au beurre que nous avons acheté en concomitance avec des boîtes de conserve de tomates périmées grâce à la débrouillardise d'Amine, le frère de Lilas qui écume les magasins d'État lors de ses déplacements sportifs dans les autres wilayas du pays. Et que dire de notre euphorie le jour où nous avons réussi à remplacer notre réfrigérateur qui avait rendu l'âme ? Ce qui n'a pu se faire qu'après avoir âprement négocié un bon d'achat auprès de notre voisin, locataire de l'appartement 20, cinquième droite, bâtiment B. Un homme très courtisé dans l'immeuble depuis sa récente promotion en tant que chef de rayon aux Galeries algériennes de la rue Ben M'hidi. C'est d'ailleurs lui que ma mère a chargé de nous procurer des amandes et de la farine pour préparer les gâteaux du mariage. Sans omettre de lui proposer une commission pour cet immense service. Ce mariage, depuis que la date en a été fixée, devient une véritable affaire d'État. Nous avions prévu, Lilas et moi, une cérémonie très simple, dans l'intimité familiale. L'officialisation de notre relation ne nous apparaissait que comme une simple formalité. C'était compter sans la détermination des mères. Ma mère veut prendre sa revanche sur mon père et sur mon frère. Hamid s'est marié en URSS avec une jeune fille russe qu'il ne s'est même pas donné la peine de nous présenter. Nous en avons été informés par courrier. Ma mère ne s'en est toujours pas remise. Mon père, lui, a cessé tout versement à ma mère depuis le jour où j'ai ouvert mon cabinet d'avocat. Je me demande bien comment il l'a su. Peut-être par l'annonce que j'ai fait paraître dans le journal. Ma mère n'a jamais été aussi offensive. Je vais lui montrer de qui je suis la fille, a-t-elle promis, avant de rameuter pour la circonstance toute sa famille, frères, sœurs, oncles et cousins. Je ne vois pas très bien ce qu'elle pourra lui montrer, puisqu'il ne sera pas là. Cela fait bien longtemps qu'il n'existe plus pour moi. Ni pour elle. Mais elle insiste. Il y va de l'honneur de la famille ! Et tous ont versé leur contribution pour « rougir le visage » de leur sœur, nièce et cousine. Et puis, il y a les voisins. Argument partagé par la mère de Lilas, qui se doit de recevoir à cette occasion toutes les femmes de l'immeuble qui passent leur temps chez elle, l'invitent en toutes les circonstances et qui, de ce fait, lui doivent des cadeaux. Tout ce monde-là ne pourra tenir dans nos trois pièces. C'est évident. C'est donc Mohamed, le frère de Lilas, qui s'est proposé. Il occupe maintenant une villa au bord de la mer, pas très loin d'ici, à Alger-Plage. Un logement de fonction qu'il a réussi à obtenir après son mariage, grâce à l'un de ses copains, médecin comme lui, mais surtout fils du sous-préfet, autrement dit du chef de la daïra dans laquelle il exerce en tant que médecin hospitalier. C'est ce même copain qui fournira la voiture, une DS 21 dernier modèle, enrubannée et fleurie pour la circonstance, dans laquelle sera emmenée en tête de cortège la mariée, Lilas, qui ne deviendra officiellement ma femme que le jour où tous les habitants du quartier la verront sortir de chez elle en robe blanche sous les youyous des invitées et des voisines agglutinées aux balcons pour ne rien perdre du spectacle. Après la fête, Lilas reviendra dans l'immeuble, avec moi. Nous passerons notre première nuit ensemble, et seuls, dans l'appartement. Dans ma chambre, convertie depuis peu en chambre conjugale. C'est la seule exigence que j'aie réussi à imposer aux deux mères, la mienne et celle de Lilas. Non sans affronter une tempête de protestations. Elles auraient voulu que nous respections les traditions jusqu'au bout. Ma mère m'a envoyé des émissaires pour les tractations à propos de la nuit de noces. Elle n'a pas osé m'en parler directement. Mais j'ai bien reconnu les arguments auxquels elle ne cesse de faire allusion depuis qu'elle est allée officiellement demander la main de Lilas ! Ne pas prêter le flanc à la critique, et surtout permettre à la mère de Lilas de marcher le front haut, en apportant à tous la preuve qu'elle a su préserver la pureté de sa fille. Parce qu'il ne faut pas oublier que la mère de Lilas est veuve. Donc plus vulnérable. Cependant, malgré toutes ces offensives, nous avons tenu bon. Ni Lilas ni moi ne voulons renouveler l'expérience de Mohamed, son frère, qui m'a confié qu'il avait dû, le soir de ses noces, se munir d'un petit flacon de sang pour feindre une défloration qui avait eu lieu quelques mois auparavant, et présenter aux deux familles, en faction devant la porte, une combinaison tachée du sang d'un donneur anonyme. Il faut savoir composer. Mentir. Ruser. Partout et en toutes circonstances. C'est devenu un sport national. La grande débrouille. Le système D. Connaissances, copinage, combines, tout est bon pour se sortir d'un mauvais pas ou se faire octroyer des passe-droits. Ainsi, par l'intermédiaire d'un de mes confrères, j'ai pu m'inscrire sur une liste d'attente auprès d'une entreprise nationale dans le cadre du quota réservé aux employés de ladite entreprise en vue de l'importation de véhicules automobiles. Je ne connais ni la durée de l'attente, ni la marque de la voiture qui me sera attribuée. Cela dépendra de l'arrivage. Rachid a attendu deux ans la sienne. Deux ans seulement, parce qu'il a pu échanger son bon de commande contre celui d'un ami. Mais cela me laissera le temps de rembourser les dettes contractées pour la célébration du mariage et de réunir l'argent nécessaire pour la payer. En attendant, je continuerai à prendre mon bus, le K barré, dont le nom à lui seul est tout un programme. Jusqu'au change-ment au Champ de manœuvres. La RSTA, Régie syndicale des transports algérois, reste, malgré quelques défaillances bien compréhensibles vu la pénurie de pièces détachées, au service exclusif du peuple.

Elle

Jours de soleil, jours de vacance totale, jours où plus
rien ne pèse, jours de bonheur tranquille. Un bonheur
si proche qu'on en perçoit les frémissements, là, sur la
surface scintillante de l'eau, et puis là encore, dans la
caresse de la brise qui fait naître des frissons sur ma peau
gorgée de soleil. Je comprends maintenant pourquoi le
soleil avait ses adorateurs. Je ressemble à un biscuit
qu'on aurait un peu trop longtemps oublié dans le four,
me dit Ali en m'étreignant chaque soir. Un biscuit au
goût d'orange et de vanille, avec une pincée de cannelle,
précise-t-il, exactement ceux que j'aime ! Ali et moi
faisons provision de lumière et de soleil tout au long
d'un chapelet d'heures indolentes, égrenées dans
l'insouciance d'un été qui nous appartient. Et mon corps
à demi nu, immobile, s'abandonne à la ferveur de ces
instants. Si ma mère me voyait ! J'imagine sa réaction
horrifiée. Elle n'aime pas les peaux brunes ou bronzées.
Comme la plupart des femmes nées dans les pays de
soleil. Chez nous, une jeune fille n'est tenue pour belle
que dans la mesure où on peut vanter son teint blanc,
le rose virginal de ses joues, ses grands yeux noirs et
l'arc sombre de ses sourcils. Sans oublier la largeur de
ses hanches, garante de ses capacités de procréatrice.

Et les hommes? Les hommes ne choisissent pas. Ils font confiance à leur mère. Les mères aiment trop leurs fils pour les laisser se fourvoyer. Les mères s'occupent de tout. À partir du moment où la date du mariage a été fixée, Ali et moi avons perdu le contrôle de la situation. Nous avons même été tenus à l'écart. Les préparatifs se sont faits sans nous. J'ai dû menacer de tout annuler pour obtenir de ne pas me prêter au jeu traditionnel du défilé. Maman aurait voulu que je fasse comme toutes les mariées. Chignon à boucles empesé, maquillage assorti à chacune des tenues traditionnelles qu'elle voulait me faire porter pour ce grand jour: caraco, kaftan, gandoura constantinoise, et que sais-je encore. Une débauche de vêtements tous richement brodés d'or, pour éblouir les voisines et ma future belle-famille. Dépenses déraisonnables et inutiles pour le résultat escompté. Mais elle était prête à se saigner aux quatre veines, à se couvrir de dettes pour que personne ne puisse dire qu'elle n'a pas fait ce qu'il fallait. C'est à des signes pareils qu'on peut mesurer la distance entre les générations et les changements profonds des mentalités. Il ne s'agit pas de balayer les traditions d'un revers de main. Mais il me semble que, depuis l'Indépendance, tout va très vite. Et nous sommes quelques-uns à vouloir secouer les préjugés pour que les choses changent à l'intérieur même de la société. À commencer par nos propres familles. Je croyais pourtant que Maman avait fait un effort. Mais tout son comportement reste subordonné aux réactions des voisins et connaissances, réactions qu'elle anticipe, ne les connaissant que trop bien. Et je pense même qu'elle veut prouver à tout le monde que le fait d'avoir ôté le voile ne l'exclut pas pour autant de la communauté. Quant à moi, le jour du mariage, en plus d'une robe blanche empruntée à une de mes cousines, je n'ai porté qu'une seule tenue. Un sarouel de tissu lamé or avec un caraco rouge brodé de fils d'or, lui aussi, confectionné avec le velours que madame Lill, notre ancienne voisine, avait laissé pour moi. C'était comme si je tenais une promesse que je lui avais faite. Et parce que je m'étais coupé les cheveux quelques jours auparavant, Maman a dû également renoncer à ses rêves de chignon grand style. Le moment le plus émouvant a été celui où je suis sortie de l'appartement. Mon grand-père s'est placé sur le seuil de la porte et a relevé un pan de son burnous blanc pour que je passe au-dessous. Pour symboliser à la fois la protection et la séparation. C'est le moment qu'a choisi ma mère pour éclater en sanglots. Instantanément imitée par les femmes qui se pressaient dans les escaliers pour voir la mariée sortir de chez elle, et affronter une nouvelle vie. Mes frères eux-mêmes ont été émus. En fait de séparation, je ne vais pas aller très loin. Je reste dans l'immeuble. Séparée d'eux seulement par quelques marches. Non, je ne dirai pas que le jour de mon mariage a été le plus beau jour de ma vie. Ce n'est qu'une fois seuls dans notre chambre que nous avons vraiment réalisé que nous étions dorénavant libres de nous aimer. Et nous n'avons même pas fait l'amour ce soir-là. Après tant de temps passé à nous cacher, à trouver des combines pour nous retrouver, passer toute une nuit ensemble, dans les bras l'un de l'autre, nous est apparu presque miraculeux. Et maintenant, nous sommes loin. Loin des regards, loin de tout. Il y aura tant de nuits. Il y a nos nuits ici. Il y a ces étoiles qui tombent en pluie sur mon corps et font naître des myriades d'étincelles sous mes yeux fermés. Il y a nos matins paresseux, matins où, encore enveloppés de brume et de rêves, nos corps, nos mains aveuglément se cherchent, se reconnaissent, se prennent, se déprennent et se cherchent à nouveau, dans une étrange chorégraphie. Il y a, dans le jour finissant, nos courses et nos jeux d'enfants sur la plage désertée. Il y a les soirées où, dans le silence de la nuit, chaque mot échangé crible l'obscurité de points lumineux qui vibrent et scintillent longtemps avant de s'évanouir. Et, quand Amine et Samir viennent nous voir, ces vibrations lumineuses s'accompagnent de notes de musique qui s'éparpillent dans l'air tiède du soir. Samir ne se sépare jamais de sa guitare. Nous nous installons alors devant le cabanon où nous passons ces quelques jours en dehors du temps. Un vieux cabanon qui nous a été prêté par le frère de Rachid, l'associé d'Ali. Et Samir égrène des airs d'une mélancolie si déchirante qu'ils résonnent comme un cri de détresse. Des airs qui nous disent clairement ce qu'il n'ose avouer. Des airs qui, lestés du poids de ses silences, sont un aveu de ce qu'il lui est impossible de dire autrement, et vont doucement mourir sur le rivage tout proche. Samir n'est pas heureux. Il a beaucoup changé. Je le regarde à la dérobée, et mon cœur se serre. Une ombre semble s'être installée dans son regard et ne le quitte plus. Il semble absent, comme habité par un mal inconnu. Un mal intérieur qu'il ne sait, qu'il ne peut exprimer que par ces mélodies qui viennent poser sur la nuit et notre bonheur tout neuf un malaise dont nous avons du mal à prendre la mesure. Toute sa joie de vivre s'en est allée. Je ne sais pas pourquoi. Je sais par Ali qu'il ne rêve que de partir. De quitter le pays. De s'en aller ailleurs, un ailleurs où il pourrait être écouté, ou du moins commencer une autre vie. Il est persuadé qu'ici, il n'a de place nulle part. Il a pourtant essayé. Après le bac, il s'est inscrit au conservatoire. Il n'y est resté que quelques mois. Le temps de comprendre qu'il n'y apprendrait rien. Qu'il lui était impossible d'y trouver ce qu'il cherche. Et maintenant, il se contente d'animer de temps à autre des soirées familiales ou des fêtes de quartier, avec un groupe musical. Sans conviction. Sans entrain. Juste pour se faire un peu d'argent. Je regarde son visage émacié. Ses cheveux si longs qu'il les attache avec un élastique. Son corps dégingandé qu'il traîne tout au long de jours où il essaie vainement, désespérément, de cacher un tourment qu'il ne veut confier à personne. Pas même à Amine, son frère jumeau. Amine qui, lui aussi, depuis les derniers championnats, a renoncé à ses rêves de médaille ; mais il ne paraît pas en souffrir. Certainement parce qu'il continue à évoluer dans le monde du sport. Sa passion. Enseignant d'éducation physique dans la journée, entraîneur d'athlétisme pour des associations sportives de jeunes le soir. Il s'en accommode très bien. Il suffit de le voir pour en être convaincu. Son assurance, sa bonhomie contrastent presque violemment avec l'aspect fragile, presque éthéré de Samir. Je me demande souvent comment deux êtres conçus au même moment, et élevés dans le même milieu, avec une tendresse et une affection égales, peuvent être aussi différents. Mais depuis que je travaille au centre de santé, je me pose tellement de questions qu'il me faudrait reprendre mes études à zéro pour pouvoir y répondre. Ou écumer les bibliothèques pour y consulter des ouvrages spécialisés. Et puis, en ce moment, je n'ai ni le temps ni l'envie d'explorer ces profondeurs. Il me faut profiter de ces instants suspendus entre ciel et mer, détachés du temps, et dont je sais la fin proche. Fermer les yeux et laisser le soleil faire danser des arcs-en-ciel sous mes paupières. Me laisser emporter par la vague qui me berce et m'éloigne des rivages. Il sera toujours temps de revenir.

Lui

L'été est fini. Mais son souvenir accompagne
chaque instant présent. Et nous sommes à présent
installés dans notre vie conjugale. Je ne sais pas trop
pourquoi, Lilas n'aime pas ce mot. Elle préfère dire
« nos vies conjuguées ». Au présent et au futur. Nous
avons retrouvé l'immeuble. Les escaliers. Les bruits de
vie des autres. Les habitudes, déjà. Les visages amis.
Tout s'est remis en place, comme après une parenthèse.
Quelques jours vécus dans la lumière et l'oubli. On
pourrait presque croire que rien n'a changé. Mais il me
semble au contraire que je viens d'entamer la phase la
plus importante, la plus décisive de ma vie. Lilas est
présente, chaque jour. C'est elle qui m'attend et
m'ouvre la porte quand je rentre tard. Même si elle sait
que j'ai les clés. Et toute la lumière de ces quelques
jours semble s'être concentrée dans ses yeux, dans son
sourire. Ma mère se fait discrète. Le matin, elle trottine
à pas menus, en essayant de faire le moins de bruit
possible pour ne pas nous réveiller. De même, le soir,
dès que nous avons fini de dîner, elle se retire dans sa
chambre pour nous laisser seuls en face de la télévision.
Elle ne veut pas regarder les films avec nous, par honte,
par peur d'être gênée si un baiser qui aurait échappé

aux ciseaux et à la vigilance des censeurs venait à apparaître sur l'écran. Cela arrive parfois. Mais de moins en moins. Les fonctionnaires de la radio-télévision algérienne sont de plus en plus efficaces. Et de plus en plus zélés. Il arrive même que des mots entiers soient remplacés par des bruits divers, pour ne pas choquer les âmes sensibles. Lilas m'a ainsi raconté que le diminutif du prénom d'un héros de feuilleton américain, nommé Zébulon, a été systématiquement escamoté chaque fois qu'il était prononcé dans chaque épisode, parce qu'il était synonyme du mot employé en langage familier pour désigner le sexe d'un homme. Cela a dû demander bien du travail aux préposés à la coupe. La censure est partout présente. Sous des formes diverses. Et légalisée par les dispositions qui prévoient des mesures de rétorsion très strictes pour les délits d'opinion. Les lois se succèdent, adoptées à l'unanimité par l'ensemble des représentants du peuple élus démocratiquement, ne l'oublions pas. Unanimisme sonore et étouffement de toute velléité de contestation. Après les lois sur les nationalisations des entreprises publiques et des hydrocarbures, on a voté les lois sur l'arabisation, saluées par les tenants du nouvel ordre algérien. Avec le sentiment si gratifiant de prendre enfin une revanche, non seulement sur l'histoire, ce qui serait légitime, mais surtout sur les milliers de cadres dits « francisants » formés pourtant à l'école algérienne. Et nous faisons quotidiennement les frais de ces tentatives d'exclusion. On m'a appris une langue, le français. On m'a répété que seuls comptaient le niveau d'instruction et le désir d'apporter au pays ce dont il avait le plus besoin. Des compétences et des savoir-faire pour le propulser au niveau des pays développés. On m'a laissé croire que le reste n'était que question de temps. Et que le temps viendrait assez vite, où nos enfants et les générations suivantes, ayant appris leur langue dans des écoles accessibles à tous, prendraient la relève. Sans pour autant culpabiliser les pères. Des mesures ont été prises, des décrets ont été promulgués pour arabiser et diffuser l'islam, religion d'État, à ces enfants nés dans un pays libre. Mais surtout pour rappeler à tous, à chaque instant de la vie, que nous ne devons pas dévier du chemin tracé pour nous. Je suis arabe et musulman, on ne me permet pas de l'oublier. On me le répète sur tous les tons. Du plus doucereux au plus menaçant. On m'assure qu'il n'y a point de salut hors de ce retour aux sources. Au tribunal, les clivages se font de plus en plus visibles. Il y a ceux qui ont fait leurs études dans les pays frères, l'Égypte, la Syrie, l'Irak et la Jordanie. Et il y a les autres. Ceux qui, comme moi et des milliers d'autres, sont restés en Algérie. Qui y ont été formés par des enseignants. Français pour la plupart, mais sous tutelle d'un ministère algérien, et conformément aux directives de ce ministère. Où est l'erreur ? Aujourd'hui, nous assistons impuissants à cette nouvelle donne. Notre horizon doit se limiter désormais aux principes fondateurs de la culture arabo-islamique. Balisés par la nouvelle Constitution et la Charte nationale. Et mieux encore, pour que le verrouillage soit plus efficient, nous ne pouvons plus circuler librement dans les pays étrangers. Si nous voulons voyager, il nous faut une autorisation de sortie du territoire national, délivrée au compte-gouttes par les services préfectoraux de la wilaya. Nous aurions aimé, Lilas et moi, aller en France pour y passer quelques jours. Mais outre le manque de moyens, nous avons reculé devant les difficultés administratives pour nous procurer ce petit bout de papier si ardemment convoité par bon nombre d'entre nous. Un document impossible à obtenir si l'on n'a pas de solides connaissances auprès des responsables de ces services. Samir, le frère de Lilas, ferait n'importe quoi pour pouvoir s'en aller. Mais il n'arrive pas à obtenir l'autorisation nécessaire, ni l'argent pour le voyage et le séjour. Nous avons beaucoup parlé de lui ces derniers jours, Lilas et moi. J'ai essayé de savoir ce qui le mine. Je me suis heurté à un silence gêné. On dirait qu'il ne peut s'exprimer que dans et par la musique. Amine est bien plus à l'aise dans sa peau. Il nous a bien fait rire en nous racontant les dernières blagues qui courent dans le pays sur la gestion socialiste et les bons mots de nos responsables. Parce qu'il y a cela aussi ! Heureusement. Cette capacité à tourner en dérision toutes les situations, même les plus dramatiques. Un humour à fleur de vie qui nous permet de rire de tout, et de nous-mêmes d'abord. Un peu comme une soupape de sécurité. Des slogans détournés aux surnoms donnés aux différents ministères, tout est bon pour ironiser sur les dérives du système, sur les pénuries et les combines. Ainsi le ministre des Finances a été surnommé Abou Lefric, et le responsable de l'appareil du parti, Abou Ledogue. Il paraît que ce sont les mêmes blagues qui circulent dans les pays de l'Est, à quelques variantes près. Il est vrai que nous avons choisi les mêmes options économiques. Pour les mêmes résultats. Mais nous, nous avons le soleil en plus. Les plages. L'immensité ocre d'un désert, le plus grand et le plus beau du monde. Un pays dont nous avons pu découvrir toute la beauté ces dernières semaines. Nous avons passé des journées entières à nous baigner dans des criques sauvages, à courir sur des plages dorées à peine

146

foulées par quelques estivants, à cheminer sur des sentiers bordés d'agaves et de cactus, avant de nous laisser surprendre par la nuit aux abords des villages blottis au flanc des collines où nous étions accueillis par des gens simples qui nous ont ouvert leur porte et ont partagé avec nous la galette et le petit-lait qui font l'essentiel de leurs repas. Des gens qui ne nous ont pas laissés partir sans avoir cueilli pour nous des figues et des grappes d'un raisin dont je n'oublierai jamais le goût. J'ai eu l'impression de revenir des années en arrière, lorsque, dans mon village natal, en bandes dépenaillées et redoutables, nous investissions les champs et les vergers des colons pour y faire provision de fruits, avant d'être chassés et poursuivis par le garde-champêtre qui nous menaçait de son fusil et finissait par battre en retraite sous la bordée de pierres que nous lui lancions. Rien n'a changé dans ces douars, sauf le sentiment très présent en chacun d'avoir recouvré, avec les terres des ancêtres, une liberté et une dignité qui leur ont fait relever la tête. Les traditions d'hospitalité et de partage sont toujours là. Et les femmes qui ont reçu Lilas à l'intérieur de leur maison semblent plus sereines, plus apaisées que celles qui ont été transplantées dans les villes, malgré des conditions de vie encore précaires. J'ai pensé à ma mère, à son enfermement, à son isolement, et me suis demandé ce qu'il serait advenu si nous étions restés au village. Elle aurait sans doute été plus heureuse, et mon père, comptable de ses actes devant tout le village, n'aurait peut-être pas pu nous abandonner. Mais je n'aurais pas non plus rencontré Lilas. Et rien que pour cela, je ne peux que me réjouir, très égoïstement, de la décision prise par mon père. De nous avoir emmenés à Alger et installés dans l'immeuble. Quand je développe toutes ces hypothèses devant Lilas, elle se contente de sourire. Puis elle me dit d'un ton moqueur que j'aurais certainement eu pour femme une de ces belles jeunes filles qui sont soigneusement tenues à l'abri des regards masculins. Une épouse très jeune, très soumise, très sereine, très apaisée, et surtout apaisante. Sans rêves et sans complications. N'est-ce pas le rêve de tout homme ? ajoute-t-elle. Je sais que, dans ces moments-là, elle ne plaisante qu'à moitié. Aussi je ne la suis pas. Et tout finit par des rires et des baisers. Comment lui faire comprendre autrement, que, lorsqu'elle est dans mes bras, je suis le plus heureux des hommes ? Et que, dans une société comme la nôtre, nous ne pouvons construire notre bonheur qu'au prix de certains renoncements ? Elle est si entière, si passionnée, si exigeante que parfois je me sens impuissant à la rassurer. Son inquiétude vient de plus loin que notre histoire. Elle porte en elle le poids de toutes les générations de femmes qui l'ont précédée. Un fardeau dont elle se sent incapable de se débarrasser complètement. Elle le dit elle-même. Mais je ne veux pas que ces ombres viennent ternir un bonheur tout neuf. Il faudra bien qu'elle apprenne à être heureuse. Malgré elle.

Elle

Additionner les faits. Les événements. Les mots aussi. Ceux qui sont assénés. Inaliénables vérités. Ceux qu'on dit. Ceux qu'on n'ose pas dire. Ceux qui nous échappent. Et qu'on aurait voulu retenir. Y ajouter les ans. Toutes les années qui comptent. Mais aussi celles qu'on compte. Et même celles qui ne comptent pas. Parce qu'elles laissent des traces. Par-devers soi. Et dans ces années-là, ou dans les autres, peu importe, revenir sur les jours. Les instants. Ceux que la mémoire sélectionne et grave à jamais. Et qui vont se loger dans ce que les scientifiques appellent le cortex cérébral. Sélection arbitraire, puisque souvent rien ne distingue cet instant de milliers d'autres. Et l'on ne sait pas pourquoi cet instant demeure en suspens. Ainsi ce jour de novembre. Ciel. Soleil. Arbres. Frémissement du soleil à travers les arbres. Lumière tremblée. Juste cet instant saisi. La banalité de cet instant. Totalement détaché. En suspens. Et rien d'autre. Rien de plus. Les secondes, les minutes suivantes se sont effacées. Pourquoi s'est-il incrusté dans ma vie ? Une émotion peut-être. Née de cette banalité même. Conscience de l'éphémère. De l'écoulement du temps. De l'irréversible. Mais il faut peut-être que je cherche un peu plus.

Que je commence comme ça. C'était un jour de novembre. Je me souviens seulement que j'étais assise dans le jardin du centre de santé. Et que je me suis laissé envahir par la conscience aiguë de la précarité de cet instant qui était tout à moi. Quelques secondes à peine. Des parenthèses ouvertes au cœur d'un jour comme tous les autres. Une bulle. Oui, un miracle irisé et dansant, impalpable, comme seules peuvent l'être les envies de bonheur. J'en ai recueilli le souffle. Pour pouvoir affronter les jours où tout est silence en soi. Les jours où plus aucun mot d'amour ne parvient à se nicher au creux d'un sourire. Faut-il à présent et déjà revenir sur ma vie ? Les faits. Les événements. Les mots que j'ai prononcés. Et ceux que je n'ai pas su dire au moment où j'aurais dû. Mais si je n'ai rien dit, c'est peut-être parce que : 1) je ne pouvais pas ; 2) je ne voulais pas ; 3) je n'osais pas. Barrez les propositions inexactes. Comme tout serait simple si, à toute question, il n'y avait qu'une seule réponse. Je l'ai longtemps cru. Tu m'aimes ? Un peu ? Beaucoup ? Passionnément ? À la folie ? Dis-moi, mais dis-le-moi ! À force d'insistance, on peut obtenir une réponse. Mais oui, bien sûr. Bien sûr que je t'aime. Oui, mais encore ? Que veux-tu de plus ? J'ai du travail.

Ali travaille. Les fenêtres sont ouvertes sur la nuit. Nous sommes dans notre chambre. Notre chambre n'est pas très grande. Le lit y prend toute la place. Je suis allongée. Ali est assis à son bureau qu'éclaire un cercle de lumière. Il me tourne le dos. Il annote des dossiers. Il a audience demain. Ou après-demain. Et il a beaucoup de dossiers en instance. Comme d'habitude. Sur le bureau, le désordre des papiers. Près de lui, le cendrier est plein.

Il est tard. Tu devrais dormir.

Il parle sans se retourner. Mais il sait bien que je ne peux pas m'endormir tant qu'il veille. J'attends qu'il vienne me rejoindre. J'allume la lampe de chevet. Je reprends mon livre. Tout à l'heure, dans quelques minutes ou dans une heure, il aura fini. Il se lèvera. Je serai peut-être endormie. Ou ferai semblant de l'être. Il ira dans la cuisine. Il se servira un verre d'eau. Sans faire de bruit, pour ne pas réveiller sa mère. Il faut la ménager. Elle a le sommeil léger. Puis il regagnera la chambre. Il refermera la porte derrière lui. Doucement. En essayant de ne pas faire grincer les gonds.

Alors il viendra à moi.

Et s'il se rapproche, s'il me prend dans ses bras, nous ferons l'amour. En silence. Et si quelque cri, quelque soupir parvient à se frayer un chemin jusqu'à ma gorge, il posera la main sur mes lèvres. Pour retenir le cri. Pour atténuer le soupir. Elle pourrait nous entendre. Il faut la ménager. Un mur sépare sa chambre de la nôtre. Il se répandra en moi. Sans un mot. Lèvres serrées dans la jouissance. Lui aussi. Elle pourrait l'entendre. Puis il se retirera.

Le lendemain, je me réveillerai avant lui pour occuper la salle de bains. Je me réveille tous les jours avant lui. Mais jamais avant sa mère. Elle se lève très tôt pour les ablutions de la prière et pour remplir la baignoire et les bassines d'eau. Avant la coupure quotidienne. L'eau ne coule au robinet que deux heures par jour. Il faut faire vite. Puis elle prépare le café. Je l'entends, même si elle essaie de ne pas faire trop de bruit.

Sais-tu, me dit-il souvent comme pour me convaincre de la chance que nous avons, sais-tu quel est le taux d'occupation des logements aujourd'hui à Alger?

Je le sais. Les enfants que je vois en consultation me le disent. Et leurs mères me le disent. Et bien d'autres encore. Mais il tient à préciser: une moyenne de 7,8 personnes par habitation. Dans les quartiers populaires bien entendu. Nous, nous vivons à trois dans un appartement de trois pièces. Nous sommes donc privilégiés. Cela aussi je le sais. Et je n'ai pas à aller très loin pour le constater. Dans notre immeuble, nous sommes pratiquement les seuls à vivre dans ces conditions. Ma mère aussi. Depuis mon départ et celui de Mohamed, ils ne sont plus que trois. Parler de départ dans mon cas n'est pas très exact. Je devrais dire ascension. Je n'ai fait que changer d'étage. Sans changer de bâtiment. Sans changer d'immeuble. Chaque fois que je sors et que je rentre, je passe devant chez moi.

Je dis encore «chez moi».

On est toujours chez soi dans la maison de son enfance. Et on y laisse toujours un peu de soi. Une odeur qui traîne dans l'armoire. Un album de timbres oublié au fond d'un tiroir. Une entaille sur le rebord d'une table. Entaille dont on est seul à connaître l'histoire. Et d'autres signes encore, d'autres traces, qu'on est seul à voir. J'ai toujours un instant d'hésitation en arrivant devant notre porte. Puis je continue. En gravissant les six étages suivants, je pense à toutes les voisines qui s'arrêtaient pour faire escale chez nous en revenant du marché. À la tendresse et à la crudité de leurs mots. À la connivence et à la solidarité active de toutes ces femmes. À cette communauté, à cette réalité exclusivement féminine, totalement ignorée des hommes. Un no man's land, au sens premier du terme. Je pense à Zohra qui nous faisait tant rire, et qui ne sort plus qu'avec un voile et une djellaba noirs depuis qu'elle a perdu son fils âgé de onze ans. Je pense à Aziza qui est partie, elle, parce qu'elle a enfin rencontré un homme, un autre homme avec qui elle tente d'oublier ce qu'a été sa vie jusqu'à lui. Je pense aussi à ces longues haltes que nous faisions, Ali et moi, il y a à peine quelques années, dans les recoins les plus sombres de la cage d'escalier. À ses mains impatientes et maladroites. À sa bouche avide et exigeante. Aux battements affolés de nos cœurs. À mes élans et mes hésitations. Cela me semble si loin.

Maintenant, lorsqu'il nous arrive de monter les escaliers ensemble, nous n'avons qu'une seule hâte, rentrer chez nous. Mais nous n'avons pas les mêmes horaires. Je travaille surtout le matin. La plupart du temps, Ali rentre très tard. Les audiences peuvent se prolonger très avant dans la nuit. Il en sort épuisé. Et surtout abattu. Vidé. Il n'en peut plus d'écouter les doléances, de côtoyer les détresses, de réprimer ses révoltes et ses colères, celles des autres aussi, de parler pour convaincre, de parler pour dissuader, de parler pour amadouer, de parler pour réparer, de parler pour faire taire cette voix en lui, celle qui souligne chaque parole d'un ricanement parce qu'elle connaît l'inanité de chaque mot, l'inutilité des effets de manche et des envolées sur l'innocence et le respect des droits.

Ces soirs-là, il me suffit de le regarder pour savoir qu'il ne pourra plus prononcer un seul mot. Sa mère aussi le sait. Alors nous nous asseyons toutes deux dans le salon pendant qu'il s'enferme dans la chambre. Le temps de reprendre souffle. De dénouer les tensions. Et nous l'attendons. La table est mise. Il n'est pas question de manger sans lui. La télévision meuble nos silences. Mais heureusement, ma petite mère, Yemma comme je l'appelle maintenant, s'est découvert une passion : les feuilletons égyptiens. Elle qui ne peut regarder un seul film avec nous, en suit chaque épisode avec une dévotion que rien ne peut entamer.

Chaque soir à l'heure dite, elle s'assoit dans un fauteuil, toujours à la même place. Dès les premières notes de musique du générique, elle n'est plus là pour personne. Rien ne peut détourner son attention. Pas même l'arrivée de son fils. S'il entre à ce moment-là, elle lui tend une joue distraite sans détourner les yeux de l'écran quand il se penche sur elle pour l'embrasser. Parfois, quand il rentre de bonne humeur, il prend un malin plaisir à tenter de détourner son attention. Allez, raconte-nous, dis-nous, qu'est-ce qui s'est passé aujour- d'hui ? Explique-nous, pour qu'on comprenne ! Sans répondre, elle lève la main, comme pour l'éloigner.

Chaque soir entre sept et huit heures, dans tout l'immeuble, dans tous les immeubles et maisons de la ville – et certainement du pays –, des femmes de tous âges communient devant leur poste de télévision dans la même ferveur. Les repas sont préparés tôt le matin, les enfants sont mis dehors en été, ou le plus souvent relégués dans une autre pièce, avec interdiction d'en bouger. Les maris complaisants s'attardent dehors, devant la porte du bâtiment ou dans le café du coin. Aucun d'entre eux n'oserait avouer que c'est pour laisser écran libre à sa femme. On a sa fierté ! Les maris intrai- tables, ceux qui exigent d'être servis pendant la diffusion d'un épisode, savent qu'ils devront chaque soir subir les offensives, les récriminations ou les soupirs désespérés de leur épouse. Certains finissent par capituler. Yamina, la voisine du dessous, mère exemplaire et épouse ordinairement soumise et plutôt effacée, a raconté à Maman qu'elle avait trouvé une arme de persuasion :

le chantage. Si tu me laisses regarder le feuilleton, je te laisserai faire avec moi ce que tu veux au lit. Sinon rien. Et il paraît que la menace a produit l'effet souhaité au bout de quelques jours seulement. Que le marché a été conclu sans qu'un seul mot soit prononcé. Il faudrait peut-être étendre cette initiative à d'autres revendications. Et y mettre la même détermination.

Je ne crois pas que Yamina ait jamais lu Aristophane, ni qu'elle sache qui était Lysistrata, mais elle pourrait s'en réclamer. En classe de première, notre professeur de français nous a parlé de cette pièce, en employant des expressions détournées comme « rencontres intimes » pour désigner l'acte sexuel sans heurter notre pudeur effarouchée. Nous avions décidé alors, quelques-unes de mes camarades et moi, de créer une société secrète avec, pour nom de code, Lysistrata. Elle avait pour but de s'opposer à toute forme d'oppression par la non-violence. Par des chahuts blancs par exemple, quand les professeurs avaient des comportements que, du haut de notre adolescence susceptible et facilement outragée, nous jugions inacceptables. Nous décrétions le silence complet pendant toute une heure de cours. Ce qui nous valait immanquablement renvois et consignes. Mais nous avons appris cette année-là la vulnérabilité et l'immense solitude d'un individu face à un groupe déterminé à l'acculer dans l'exercice abusif de l'autorité dont il est investi. Le groupe s'est auto-dissous à la fin de l'année, avec un bilan mitigé. L'expérience n'a pas été renouvelée l'année suivante, à cause du bac. D'autre part, nous avions convenu que le rayon d'action de notre mouvement de contestation s'arrêtait aux grilles du lycée.

Dans nos familles et dans la rue, c'était une tout autre réalité. Nous ne le savions que trop. Parce qu'alors la situation s'inversait. Nous étions seules contre des groupes, parfois bienveillants, parfois hostiles ; et de plus, contrairement à nos professeurs, nous n'avions aucun pouvoir.

Dans les feuilletons égyptiens, c'est un peu la même chose. L'héroïne de chaque série est en général une femme mariée ou seule, vivant dans un milieu modeste, et qui doit affronter une succession de difficultés dans un enchaînement de circonstances d'une vraisemblance remarquable. Tous les cas de figure sont étudiés : abandons, adultères, remariages, rivalités féminines, mésentente avec la belle-famille, sans oublier, pour mettre l'accent sur la fibre populiste, la morgue et la cupidité des classes riches face à la fierté naturelle, la générosité des pauvres. L'inventaire complet des conflits qui peuvent naître à l'intérieur d'une famille ou d'un groupe social y est dressé, d'épisode en épisode, avec un réalisme qui fait immanquablement mouche. Avec pour toile de fond une société dont les pratiques, les réflexes, les relations familiales et les croyances sont très proches des nôtres. Ainsi l'identification est facile. L'identification et le mimétisme. Beaucoup de jeunes filles ont adopté le parler égyptien, et de plus en plus les intérieurs des maisons ressemblent à s'y méprendre aux décors des séries diffusées toute l'année par la télévision algérienne. On a fini par se débarrasser des vieilleries trouvées dans les maisons après le départ des Français, juste après l'Indépendance. Pour la plus grande joie des antiquaires, et d'une certaine catégorie de citoyens.

J'imagine parfois qu'au fond d'une boutique obscure m'attend un des tableaux que j'ai tant aimés. Un de ceux que je passais des heures à regarder dans l'appartement du septième étage, quand j'étais enfant, l'année de l'Indépendance.

Il serait oublié dans un coin, couvert de poussière, avec juste ce qu'il faut de lumière pour qu'on se reconnaisse. J'ai même retrouvé l'un d'entre eux dans un livre. Un Renoir. *Fillette au chapeau de paille*. Je sais maintenant que ce n'étaient que des reproductions. Mais l'impression ressentie alors ne m'a jamais quittée. De même le désir de m'entourer d'objets dont la seule présence peut suffire à ne plus se sentir seule. Un peu comme madame Moreno que tous ici appellent *Djedda*, la grand-mère. Elle n'a jamais quitté l'immeuble depuis sa construction, à la fin des années cinquante. Elle vit toujours dans l'appartement qu'elle occupait déjà en ces années-là, au premier étage du bâtiment C. Elle y vit seule, définitivement installée dans le souvenir, la solitude et l'attente du jour où elle rejoindra les ombres qui hantent sa mémoire. Pour tous, elle est « la » Française, et moi-même je ne sais que depuis peu de temps qu'elle est d'origine espagnole. Depuis qu'elle m'a ouvert sa porte. Chaque fois que j'entre chez elle, j'ai l'impression de me glisser dans un vieux film, de m'installer dans un décor où chaque meuble et chaque bibelot auraient été choisis de manière à suggérer une histoire particulière. Et c'est cette histoire qu'elle prend plaisir à évoquer devant moi, en caressant de sa main sèche et osseuse l'un des objets pris au hasard de ses déambulations dans son salon encombré et plongé dans la pénombre. Elle commence toujours de la même façon : tu vois, petite, ça... Ça, ce sont des coussins de dentelle jaunie au point de Venise qu'elle a confectionnés elle-même pour son trousseau, seuls rescapés de l'exode après la guerre civile d'Espagne qui l'a menée d'abord à Oran puis ici, à Alger, où elle a fini par s'installer définitivement en 1945. Et puis là, encore, une statuette de bronze, une femme drapée dans une tunique, cheveux dénoués autour d'un visage tourmenté, agenouillée comme pour une imploration, les bras tendus vers un ciel de toute évidence sourd à sa prière. Tu vois, ça, petite, c'est la guerre. Toutes les guerres que j'ai traversées sont inscrites sur son corps, et sur le mien aussi. Je porte en moi les deux stigmates de la vie : l'amour et la mort. Voilà pourquoi plus rien ne peut m'atteindre. L'amour, petite, l'amour donne plus de sel aux larmes. Mais qui n'a jamais pleuré n'a pas vraiment vécu. Il faut que tu le saches, ma petite.

Lui

Bonheur toujours aussi vif d'ouvrir les yeux chaque matin sur le désordre du lit, d'étendre la main pour m'assurer qu'elle est encore là, tout près de moi, et, si elle n'est plus là, de voir l'empreinte de son corps sur les draps froissés, d'enfouir la tête dans son oreiller pour retrouver son odeur, notre odeur d'après l'amour. De me laisser envahir par le souvenir de ses mains agrippées à mes épaules, de son corps vibrant et tendu dans l'attente du plaisir. L'écouter ensuite murmurer à mon oreille des mots indistincts avant de s'endormir enroulée à moi, et me bercer de son souffle pour m'endormir à mon tour. J'aime entendre le froissement des vêtements qu'elle ôte pour venir à moi. J'aime la voir aller et venir nue dans la chambre. Je ne me rassasie pas de ce bonheur-là. Je sais qu'elle serait très heureuse de m'entendre le lui dire. À voix haute. Mais je ne peux pas. Je ne sais pas. Elle me répète souvent qu'elle a besoin de mots, que l'amour ne se nourrit pas seulement de gestes. Mais j'ai beaucoup de mal à prononcer les mots qu'elle attend. Quelque chose de plus fort que ma volonté, plus fort encore que mon désir d'elle, m'empêche d'exprimer ce que je ressens. Même dans les moments les plus intenses de l'amour. C'est comme si une force obscure tapie au fond de moi faisait barrage à tout épanchement. Il m'arrive d'envier ceux qui peuvent briser les digues. Et pourtant, Lilas et moi avons de longues discussions. Elle dit même que je mérite bien le surnom de bavard qu'on donne aux avocats, qui sont intarissables dès qu'il leur faut plaider ou dresser des réquisitoires. Mais dès qu'il s'agit d'aller au plus profond de moi pour en extraire ce qui touche à mon être le plus intime, les mots se refusent à franchir le seuil des lèvres. En psychologue désireuse de trouver des explications à tout, Lilas dit que cela n'est rien d'autre qu'un blocage affectif. Blocage qui viendrait d'une représentation engrangée, d'abord au sein de la famille puis dans la société, du principe de virilité. Une sorte de conditionnement auquel seraient soumis les mâles dès leur enfance. Selon elle, il s'agit de tuer le féminin en l'homme. Et en premier lieu, par le rejet de toute forme de sensibilité associée et confondue, dans l'esprit des mères surtout, à de la sensiblerie. Ainsi un homme qui se laisserait aller à exprimer ses émotions, ses sentiments, par des pleurs, des plaintes, des paroles, risque de déchoir aux yeux de son entourage. Par contre, il peut manifester ses colères et ses griefs en toute liberté. Comportement exactement opposé à celui qu'on attend d'une fille, souligne Lilas. Je la laisse dérouler son analyse, étayer sa thèse par des exemples qu'elle puise dans les cas auxquels elle est confrontée chaque jour dans son travail. Je sais, tout au fond de moi, qu'elle a raison. Il aurait fallu peut-être que j'apprenne, que je me fasse violence pour prononcer à voix haute ces mots qu'elle voudrait entendre. Mais qu'a-t-elle besoin de mots ? C'est ma femme. Je peux maintenant sortir avec elle au grand jour, enfin. Il a suffi d'une signature sur un papier pour accomplir le miracle. Nous n'avons plus à nous cacher. Bien sûr, chez nous, il y a ma mère. Par respect, nous ne pouvons pas nous autoriser des gestes amoureux devant elle. Mais, pour l'intimité, nous avons notre chambre. Lilas semble se satisfaire de sa nouvelle vie. Je sais bien qu'elle aurait aimé plus de changement. Quand je veux plaisanter, je lui rappelle que passer du deuxième au huitième étage est, tout bien considéré, une véritable ascension ! Et si je veux l'énerver, la pousser à bout, j'ajoute que le mariage est déjà en soi une promotion sociale – pour les femmes, bien sûr. Et pour beaucoup, chez nous, une façon de contracter une assurance sur la vie. Quand les hommes respectent les clauses du contrat, un contrat qui comporte beaucoup de droits en leur faveur, rétorque-t-elle. Je ne peux alors m'empêcher de penser à mon père qui s'est si facilement délesté du poids d'une famille jugée incompatible avec ses ambitions, pour refaire sa vie. C'est bien pour ça que j'ai des devoirs envers ma mère. Lilas et moi avions parlé des contraintes familiales avant notre mariage. Vivre dans l'appartement avec ma mère est une obligation. Et pas seulement une obligation matérielle. Il n'est pas envisageable de la quitter. Et si nous partons nous installer ailleurs, elle viendra avec nous. Sortir d'ici, quitter l'immeuble ! Je ne rêve plus que de ça. C'est pour cette raison que je travaille beaucoup. Que je rentre tard. Que je n'ai plus la force de bavarder, de raconter, d'écouter. Mais puisqu'elles sont ensemble, elles se tiennent compagnie. Elles se connaissent depuis longtemps. Ma mère dit souvent devant moi qu'elle l'aurait choisie si elle avait dû me chercher femme. Je ne vois pas trace de rivalité dans leurs rapports, et je me sens bien entre elles deux.

Quelques petites escarmouches parfois, sur l'organisation et le fonctionnement du ménage, quelques allusions lancées par ma mère sur certains comportements, mais jamais rien de bien grave, rien qui puisse être véritablement générateur de conflits. En somme, une entente quasi cordiale. La grande majorité des affaires de divorce que j'ai à traiter ont pour origine des désaccords parfois violents entre l'épouse et la mère d'un homme pris en otage, d'un côté par une mère jalouse et exigeante, et de l'autre par une épouse tout aussi jalouse et tout aussi exigeante. La cohabitation forcée et la trop grande promiscuité n'arrangent rien. Je remercie le ciel tous les jours de n'avoir pas à vivre de tels problèmes. Même si elles n'ont pas, sur bien des points, la même vision des choses, elles évitent toutes deux de s'aventurer sur des terrains glissants. Quand ma mère exprime une opinion qu'elle ne partage pas, Lilas se tait. Mais la cohabitation n'a pas que des désagréments, aussi bien pour moi que pour elle. Lilas est contente de trouver le dîner prêt et la table mise quand elle rentre du travail. Elle n'a plus qu'à faire la vaisselle et à la ranger. Parfois elle s'assoit avec ma mère dans le salon pendant que j'étudie mes dossiers. Mais la plupart du temps, elle me rejoint dans la chambre et s'installe au lit avec un livre. Et elle attend que j'aie fini de travailler. Ma mère aurait aimé que nous ayons tout de suite un enfant. Elle m'en parle souvent. Elle pourrait s'en occuper elle-même, pendant que Lilas irait travailler! Mais Lilas reste sourde à toutes ses allusions. Elle prend la pilule depuis le début de nos relations. Et pour l'instant, elle n'a aucunement l'intention de renoncer à un moyen de contraception qui, dit-elle, est la vraie révolution du XXᵉ siècle, la seule révolution non violente. Elle dit qu'elle ne se sent pas prête. Qu'elle a de moins en moins confiance en l'avenir. Moi-même, j'ai l'impression qu'il ne reste plus rien de l'élan qui nous portait, qui portait tout un peuple il y a à peine quelques années. Rien non plus de cette prodigieuse envie de refaire le monde, de modeler nos vies à la mesure de ces promesses que nous faisions tous ensemble dans l'euphorie d'une liberté chèrement conquise. Oui, j'ai l'impression qu'il ne reste plus que coquilles vides, vidées de leur contenu par une réalité de plus en plus stérilisante, par un quotidien desséchant. J'ai vu des milliers d'Algériens pleurer le jour de l'enterrement de Boumediene. Je les ai vus perdre connaissance et s'écrouler au passage de sa dépouille. Je les ai vus se déchirer le visage et pousser de longs cris de révolte contre un sort qui s'acharnait sur nous et nous laissait, une fois de plus, orphelins. Et le lendemain, chacun est retourné à ses préoccupations quotidiennes: le ravitaillement, les queues interminables devant les magasins d'État et dans les bureaux d'une administration gangrenée par une bureaucratie arrivée au faîte de son omnipotence. Il en est ainsi pour tous ceux qui n'ont pas su profiter du système et qui, cependant, dûment endoctrinés, applaudissent aux grandes réalisations et aux grandes déclarations. Alors que déjà – et nous sommes quelques-uns à l'avoir compris et à le dire – se profile à l'horizon l'ombre de la grande désillusion.

Elle

On dit chez nous que rêver qu'on renverse de l'eau est un mauvais présage. Cela signifie qu'un malheur est proche. Ou bien, deuxième version, cela veut dire qu'on est victime du mauvais œil dont il faut impérativement neutraliser les effets néfastes en versant de l'urine sur le pas de sa porte.

Quand une femme rêve d'un corps qui devient lui-même eau, ou que quelqu'un lui donne de l'eau, surtout si c'est de l'eau miraculeuse de *Zem Zem*, la source mecquoise, c'est qu'elle ne va pas tarder à être enceinte. Dans le cas bien sûr où il s'agirait de notre propre corps. Ce sont là les explications de ma mère.

Rêves merveilleux d'un corps autre. D'un corps devenu Corps mer, Corps océan, Corps fleuve, Corps onde, merveilleuse fluidité, merveilleuse pureté, transparence, corps répandu en vagues légères ou en torrents furieux.

C'est évident, que pourrait bien signifier l'eau pour une femme, si ce n'est cela ? Une femme que le liquide répandu en elle ne peut que féconder. Sperme. Vie. Liquide amniotique. Eaux matricielles. Les rêves ne peuvent être autre chose que la transposition des peurs et des désirs. « La réalisation symbolique de désirs refoulés dans l'inconscient », nous a-t-on suffisamment répété en cours. De nos désirs et de ceux des autres.

Je fais souvent un rêve étrange. Sans savoir sur quels bords je me suis aventurée. Au moment même où le sommeil m'emporte dans un halo bleu et or, je suis charriée par une vague immense. Je m'y roule avec un sentiment de bonheur indescriptible, tout en ondes subtiles et lumineuses. Je flotte, je me laisse ballotter par la houle jusqu'à perdre conscience et n'être plus moi-même que cette vague, l'impétuosité et la douceur bouleversante de cette vague. Mais si le rêve se prolonge, ce qui arrive souvent, cette sensation d'euphorie se transforme progressivement en malaise, en angoisse, en oppression. Je suffoque. Je panique. Et je ne peux pas crier parce que l'eau m'envahit toute. C'est alors que je me réveille. À mes côtés, Ali dort. Et je n'ose pas le réveiller. Il ne comprendrait pas.

Quel sens donner à ce rêve ? Maman n'a qu'une seule réponse. Celle qui correspond à son désir à elle. Et à celui de Yemma aussi, qui guette chacun de mes matins pour voir si je suis pas prise de nausées, qui est à l'écoute de la moindre de mes envies et s'empresse de les satisfaire, au cas où. Sans me poser de questions directes. Elle attend. Ma mère attend. Ali attend. Tout le monde attend. En me croisant dans les escaliers, les voisines m'examinent, un œil sur mes seins, un autre sur mon ventre. Certaines me posent directement la question : quand donc viendrons-nous chez toi pour manger la *tomina* ? D'autres se contentent de faire des allusions. À toutes, je réponds par un sourire. Rien d'autre.

Les regards et les allusions ont commencé tout de suite après le mariage. D'abord pour vérifier si les soupçons étaient fondés. Le scandale d'une nuit de noces passée dans notre chambre, loin de la fête, et sans présentation publique de la preuve ensanglantée de notre bonne conduite, a eu de très larges répercussions dans l'immeuble.

À présent, on souhaiterait nous voir présenter une autre preuve, celle de notre capacité à procréer. Ou, du moins, de la mienne à être fécondée et porter un enfant. Et je n'ai même pas le courage d'en parler franchement avec ma mère ou avec Yemma. De leur dire que nous sommes seuls en cause. Que nos choix et notre vie ne regardent que nous. Mais tous se sentent concernés. Les parents, les voisines, et même les collègues. La vie de chacun est l'affaire de tous. Une femme ne peut avoir d'autre justification à sa présence sur terre que donner naissance à des enfants. Et si possible en nombre suffisant pour ne plus avoir le loisir de penser à elle-même. À ses désirs. À ses aspirations. Ces mots eux-mêmes sont incongrus dans la bouche d'une femme.

Ali dit que je ne devrais pas être aussi tranchante. Pour lui, en une seule génération, nous avons fait beaucoup de progrès. L'école gratuite et obligatoire pour tous et toutes, la disparition progressive du haïk qui entrave le désir de liberté des femmes et qui n'est plus porté que par les plus âgées, le nombre de filles qui font des études universitaires et entrent ainsi dans la vie active par la grande porte.

Ne compare pas ta vie à celle des Françaises ou des Américaines ! Pense à ce qu'a été celle de ta grand-mère, ou même celle de ta mère. Cette supériorité que tu as aujourd'hui sur elles. Et ton aisance dans ton rapport au monde du dehors. Fais le bilan de vos conquêtes, et tu verras. Tu n'as jamais porté le voile. Il n'en a jamais été question. Personne ne t'a jamais empêchée de faire des études. Au contraire. Tu travailles. Tu sors sans demander d'autorisation à quiconque. Bientôt tu conduiras notre voiture, quand nous en aurons une. Et tu as choisi toi-même ton mari. Et quel mari ! C'est ça la vraie révolution. Et il éclate de rire.

J'essaie parfois de me convaincre qu'il a raison. Que c'est moi qui suis toujours insatisfaite. Que je n'ai pas à me sentir brimée et agressée de toute part. Agressée par les regards des hommes dans la rue. Par les remarques entendues çà et là. Par la souffrance des autres femmes. Et surtout par leur impuissance face à cette souffrance. Mais je crois surtout que ce sont les hommes qui ne peuvent plus avancer, parce qu'ils n'ont plus à se battre. Les hommes font la guerre. Puis ils rentrent chez eux pour vivre leur paix. Avec, pour seul désir, celui de profiter du repos du guerrier. Amplement mérité.

Et pendant ce temps, nous, nous avons appris et retenu des mots comme justice, liberté, droits, dignité, égalité. Des mots qui creusent des brèches dans l'édifice millénaire. Et qui peu à peu grignotent toutes les certitudes installées.

Je ne suis plus sûre de rien. Pas même de vouloir me prolonger dans un enfant. Et si c'est une fille, sera-t-elle plus heureuse, ou simplement moins tourmentée que moi ? Si seulement je pouvais en être certaine !

Quand on en parle, Ali et moi, il dit qu'il veut donner à ses enfants tout ce qu'il n'a pas eu dans son enfance. C'est pour ça qu'il voudrait qu'on quitte l'immeuble. Qu'on aille s'installer dans un autre quartier, dans une maison ou un appartement plus grand, plus conforme à ce qu'est notre vie à présent. Plus de confort, moins de dépendance par rapport à un environnement qui ne cesse de se détériorer. Du moins à ses yeux. Il ne supporte plus la dégradation progressive, et de plus en plus visible, des lieux. L'obscurité dans les escaliers. Les pannes de plus en plus fréquentes de l'ascenseur. Les criailleries des voisins. La surpopulation. Les courses et les hurlements des enfants qui se poursuivent dans les escaliers, de jour comme de nuit. Il travaille beaucoup. Les affaires criminelles se succèdent. Et les audiences sont interminables. Il commence à se faire un nom au barreau. Et ses honoraires sont plus conséquents. Voici au moins un des ses objectifs réalisés : la sécurité matérielle. Une sécurité qui suit sans heurts une courbe ascendante. Et qui aiguise aussi son désir de gagner toujours plus d'argent. Beaucoup d'argent. Il est toute la journée dans son cabinet, dans les prisons, au tribunal et dans les cafés où se nouent la plupart des relations. On ne se voit presque plus. Et quand il rentre, il ne parle que de ça. Des affaires, des amitiés à entretenir précieusement, des connaissances qu'il est recommandé d'avoir en vue d'obtenir d'autres affaires, et surtout des facilités pour se procurer tout ce qui se fait si rare dans les magasins. Du réfrigérateur aux ampoules électriques, en passant par les sacs de farine et de semoule. Yemma est comblée. Elle n'a plus à faire la queue pendant des heures pour rapporter quelques litres d'huile ou un kilo de café. Elle pourrait même être très heureuse, s'il n'y avait pas le regard des autres. Ce qui la dérange, c'est que les voisins sont toujours là à guetter, à noter tout ce qui entre et sort de chez nous. Le jour où a été livré le réfrigérateur, ils étaient tous à leur balcon. Certains sont même sortis dans les escaliers, comme pour saluer l'événement. De même pour le téléviseur. Elle est gênée. Elle préférerait que nos achats ne soient pas visibles. Elle demande à Ali d'être plus discret. De se faire livrer de nuit, par exemple. Par peur d'exciter les envies et d'être victime du mauvais œil. Il faut la voir quand on vient, avec des mines faussement réjouies, la féliciter pour une quelconque acquisition ! Elle s'arrange pour agiter plusieurs fois la main sous les yeux de la voisine en question. Avec les cinq doigts bien écartés. Et en murmurant, sans bouger les lèvres, la formule conjuratoire pour éloigner le mauvais sort : cinq dans l'œil de Satan. Elle a très peur pour son fils. Elle voudrait que moi aussi je me protège en portant un talisman qu'elle est allée quérir chez un taleb réputé pour son savoir-faire. Elle ne comprend pas mes réticences.

Ce sont exactement les mêmes démarches, les mêmes croyances que je retrouve chez les patients qui ne viennent en consultation à l'hôpital qu'après avoir fait la tournée des taleb. Nous ne recevons que les cas désespérés, ceux pour qui toute la science des taleb et les sortilèges des magiciennes se sont révélés inefficaces. Ou ceux qui nous sont amenés par la police, internés pour des délits divers, allant jusqu'aux crimes ou tentatives de meurtre. J'ai encore dans ma mémoire le souvenir du visage de l'homme qui, en 1971, a tenté d'assassiner le président Boumediene en lui tirant dessus. Nous l'avions rencontré au cours d'un stage à l'hôpital psychiatrique Un homme étrange que celui-là. Toujours bien habillé, propre, très soigneux de sa personne, qui avait avec nous des discussions très sensées, et porté par une seule obsession, guérir pour pouvoir sortir. Chaque jour, quand on entrait dans sa chambre pour la visite, il nous recevait très courtoisement, déclarait au patron qu'il était guéri, qu'il n'avait plus aucune raison de rester enfermé dans un hôpital psychiatrique. Il affirmait avec la même courtoisie qu'il avait retrouvé toute sa raison. En conclusion d'un discours parfaitement cohérent, il demandait invariablement au professeur, qu'il appelait « très cher docteur », de lui signer son bulletin de sortie le jour même. Et quand on lui demandait ce qu'il comptait faire une fois dehors, il donnait toujours la même réponse : aller chercher son arme et tuer le président. Il s'entendait très bien avec son voisin de chambre, celui qui avait décidé un jour d'aller assassiner Podgorny et avait abattu un simple citoyen au marché. Restant néanmoins persuadé qu'il avait réussi à débarrasser le monde du chef suprême des Soviets. Et il attendait de ce même monde une reconnaissance éternelle.

Mais pour des cas de schizophrénie aussi clairement et définitivement établis, combien de détresses et de dérangements mentaux restent encore attribués à des maléfices et des ensorcellements ! Cela fait partie de notre vie, et nous cohabitons dès notre plus tendre enfance avec des êtres surnaturels qui peuvent intervenir dans notre vie sous le moindre prétexte. Ces croyances et superstitions sont si ancrées dans notre imaginaire que je me surprends parfois à avoir des réactions qui m'étonnent moi-même.

Ainsi je continue encore à me chausser en commençant toujours par le pied droit, parce que c'est ce que j'ai appris toute jeune. Ne pas siffler, ne jamais commencer par la chaussure gauche, ne jamais manger de la main gauche, l'utilisation de la gauche étant considérée comme une des caractéristiques de Satan. Cette croyance fait des ravages chez les enfants gauchers dans les familles et dans les écoles. Il ne faut jamais jeter non plus de l'eau bouillante dans un conduit, de peur de s'attirer

la colère des djinns qui occupent les lieux et qui pourraient se venger sur un des membres de la famille. De
même, j'ai toujours entendu ma mère invoquer les saints
avant de procéder à un quelconque rituel, et il m'est
arrivé à moi aussi, dans certaines circonstances, d'en
faire autant, sans même en avoir réellement conscience.
Cela fait partie des nombreux conditionnements reçus
et intégrés dès l'enfance. Tout en le sachant, je ne peux
m'empêcher d'accomplir ces gestes exactement de la
façon dont ils m'ont été inculqués. Je ne sais pas encore
si à mon tour je les transmettrai à mes enfants.

Et voilà ! L'obsession est là. Obsession de la nécessité première, de la fonction première : la transmission,
le prolongement, la procréation. J'ai donc été contaminée.
Si je dis ça, c'est que je ne sais même plus s'il s'agit de
mon propre désir ou d'un transfert par suggestion.

Et maintenant j'attends, moi aussi.

Lui

Jamais, non jamais depuis l'Indépendance, nous n'avons vécu une telle journée. Journée de liesse, de folie. Cette incroyable clameur sortie en même temps de centaines de milliers de poitrines au bout d'un silence de presque quatre-vingt-dix minutes. Ce 16 juin 1982 va, sans nul doute, entrer dans la légende. Pas seulement celle du sport. Celle aussi de la nation algérienne. Journée historique, au moins aussi capitale que le 5 juillet 1962. Drapeaux, youyous, klaxons, grappes d'hommes agglutinés sur les capots et toits des voitures, camions pris d'assaut, slogans, chants entonnés et repris par des milliers de gorges, exactement comme il y a vingt ans. Aux environs de dix-huit heures, l'immeuble a été ébranlé comme par une vague immense. Un véritable raz-de-marée. Et certains n'ont même pas attendu la fin du match pour se précipiter dans la rue. Moi-même, après de longues, trop longues minutes d'angoisse et d'espoir incrédule, je n'ai pas pu m'empêcher de me jeter sur Amine et Samir pour les serrer dans mes bras et les embrasser. La grande fraternité. Un réflexe d'union sacrée, grâce à onze bonshommes en tenue vert blanc rouge, qui se sont démenés sur un terrain de foot comme s'ils avaient la rage au ventre. Nous n'y croyions pas. Personne n'y croyait. Parce que c'était la Coupe du monde. Et surtout parce que c'était l'Allemagne. Nous sommes abasourdis d'avoir vaincu. C'est tout naturellement que nous vient aux lèvres un vocabulaire de guerre. Comme si nous avions gagné une bataille dont l'issue était prévue d'avance, vu l'inégalité des forces en présence. Mais oui, nous avons battu la grande Allemagne de l'Ouest, par un score de 2 à 1. Par le miracle d'une volonté chauffée à blanc, nous sommes venus à bout d'un pays puissant, capitaliste, riche, uniquement composé d'êtres athlétiques, blonds et surentraînés. Et c'est tout un pays qui se sent victorieux. Cela ressemble un peu à la liesse qui a suivi la victoire de l'Algérie sur la France, en 1975, lors des Jeux méditerranéens. Mais ce jour-là, l'événement était bien plus marqué encore par le poids de l'histoire. La victoire sur l'Allemagne porte en elle un symbole différent, peut-être plus fort, parce que les enjeux sont autres. C'est bien ce que tout le monde ressent confusément. Et des espoirs démesurés sont au cœur de chacun. Nous irons en finale, nous abattrons tous les obstacles dressés et, dans la même lancée, nous prouverons au monde notre grandeur invincible. Tout est possible. Ce sont les serments qui ont couru au-dessus de la foule qui a envahi les rues. Le vacarme était assourdissant. Les klaxons ont continué à retentir très tard dans la nuit. Deux coups brefs et trois coups longs. *Tahya el-Djezaïr*. Vive l'Algérie. Notre joie a été à la mesure de notre étonnement. C'est dans des moments pareils que nous prenons conscience des représentations qui résultent de notre histoire, et de notre condition. Nous avons, encore ancrée en nous, la conviction de la supériorité de certaines nations. Dans tous les domaines. Quels que soient les discours et les déclarations pleines d'orgueil et parfois belliqueuses de nos dirigeants, nous ne nous leurrons pas sur nos forces et nos capacités face à des géants. Mais qu'importe ! Nous avons nos héros. Et bien sûr, beaucoup n'ont pas manqué de tirer profit de cet état de grâce pour rappeler les autres moments de gloire du peuple algérien. Mettant sur le même plan une victoire sportive et les hauts faits de guerre de notre Révolution. Un peu de langue de bois pour ranimer la flamme mourante. L'élimination de notre glorieuse équipe, quelques jours plus tard, par un match de qualification truqué, le match de la honte entre l'Allemagne et l'Autriche, n'a fait que renforcer ce sentiment. Pendant toute cette soirée, et pendant les quelques jours qui ont suivi, cet exploit nous a permis d'oublier les sujets de discussion quotidiens. D'un quotidien difficile, où il n'est plus question que des produits de consommation qui sont disponibles, de ceux qui ne le sont pas, et des moyens à mettre en œuvre pour pouvoir se les procurer. Moi-même, je ne peux m'empêcher de dépenser une grande partie de mon énergie pour régler des problèmes matériels. C'est ce que Lilas n'arrive pas à comprendre. Ni à accepter. Elle m'en faisait le reproche, il y a quelque temps. Mais aujourd'hui, nous n'en parlons plus. Je ne sais même pas ce qu'elle en pense. Depuis la naissance de notre fille, Alya, j'ai l'impression que nos relations sont devenues plus difficiles. C'est vraiment compliqué, une femme ! Malgré tous les efforts que je fais pour aplanir les difficultés, je n'arrive pas à retrouver son sourire. Elle a beaucoup changé. Elle est souvent silencieuse, comme repliée sur des pensées qu'elle ne veut plus ou ne peut plus partager. Nous avons beaucoup de mal à communiquer. Tout ce que nous nous disons ne concerne plus qu'Alya, ses progrès, ses sourires, ses petits bobos, son appétit, son sommeil. Comme tous les parents, je suppose. Elle remplit nos vies, la sienne surtout. J'ose à peine le penser, mais c'est une évidence : elle est arrivée à temps pour combler le fossé qui avait commencé à se creuser entre nous sans que l'un ou l'autre ait le courage de l'avouer. J'ai d'abord cru que c'était parce qu'elle avait arrêté de travailler. Mais c'est une décision qu'elle a prise seule, dès qu'elle a su qu'elle était enceinte. Décision que ma mère et moi avons vivement approuvée, bien entendu. Je ne vois pas pourquoi elle aurait continué à dépenser toute son énergie ailleurs, pour d'autres, alors que son enfant a besoin d'elle. Je gagne suffisamment d'argent pour qu'elle puisse se permettre le luxe de se reposer. Et bientôt, je l'espère, nous allons quitter cet appartement. J'attends qu'on m'attribue un terrain pour commencer à construire une maison qui répondra à nos désirs d'espace, et surtout à l'urgence de nous libérer des contraintes de la vie en collectivité. Cela risque d'être long, comme toutes les procédures qui dépendent des institutions locales, mais j'ai les moyens d'activer les choses. Et dans quelques mois, nous allons être certainement très occupés par le lancement et le suivi des travaux. Je lui donnerai carte blanche pour le plan et l'aménagement de notre maison. Elle a toujours rêvé d'avoir une maison à elle, une maison qu'elle pourrait aménager et décorer à son gré. Elle pouvait en parler sans fin, au tout début de notre relation. Elle en crayonnait le plan sur des petits bouts de papier, en dessinait les espaces et m'invitait à des balades dans un jardin imaginaire dont elle disait connaître par cœur le tracé des allées. Elle a toujours été un peu décalée par rapport au présent, par rapport à la réalité. Et je crois que c'est ce qui m'avait attiré en elle. Mais ce n'est plus pareil maintenant. Je pense qu'elle a compris qu'on ne peut pas éternellement vivre en se projetant dans des ailleurs impossibles. Depuis la naissance d'Alya, elle semble plus disposée à rentrer dans le rang. Elle a mûri, forcément. Tant mieux, même si cela s'accompagne de crises de cafard ! Et je crois qu'elle commence déjà à fouiner, à faire les magasins pour repérer le mobilier qui conviendrait à ses goûts. Des magasins d'antiquités, certainement, pour y dénicher des objets anciens. Elle passe son temps à arpenter les rues. Je l'encourage. Je me suis même entendu avec Mohamed pour stocker nos achats éventuels chez lui. Il vient d'acheter une grande maison, avec une cave immense. Une maison coloniale. Il a eu beaucoup de chance de tomber sur une telle occasion. On n'en trouve presque plus à Alger, actuellement. Il a même pu négocier afin de garder le mobilier. Des meubles d'époque, m'a dit Lilas. En cherchant bien, peut-être que je pourrais trouver une bâtisse datant de la colonisation ? La plupart sont encore en bon état. Comme il n'y a pas d'agences immobilières, j'ai demandé à Mohamed et aux copains de penser à moi si jamais ils entendent parler d'une maison à vendre. Je ne supporte plus le quartier, l'immeuble, et notre appartement devenu encore plus étroit depuis la naissance d'Alya. Avant de rentrer chez moi, j'appréhende les huit étages qu'il faut gravir à pied à la fin de la journée. Et il n'y a pas que ça. La plupart des copains se sont mariés. Certains sont partis. D'autres sont restés et cohabitent avec leurs parents, comme moi, faute d'argent ou d'avoir trouvé un logement. Quand je pense qu'à notre arrivée dans l'immeuble il suffisait de pousser la porte d'un appartement pour s'y installer! Mais depuis, la surpopulation gagne du terrain dans l'immeuble même. La natalité est galopante. Nous avons bien rattrapé le temps perdu! Et les copains s'y sont mis sans tarder. On se croise toujours dans les escaliers ou quelques minutes devant la porte d'entrée, mais je me rends compte, de plus en plus, que nous n'avons ni les mêmes préoccupations, ni les mêmes objectifs. Bien que nous soyons confrontés aux mêmes problèmes. Chacun suit son chemin et tente de construire sa vie, tant bien que mal. La plupart de ceux qui ont trouvé à se caser dans l'administration publique se complaisent souvent dans l'immobilisme et l'inaction. Ils s'en remettent totalement à un État-providence qui leur assure des salaires assez conséquents et surtout réguliers, en rémunération d'un travail bien peu contraignant. Je ne retrouve nulle part l'esprit de solidarité qui régnait autrefois dans l'immeuble, dans tout le quartier. Cette entraide qui savait être efficace en tout moment, en chaque circonstance. C'était réconfortant, spontané et dénué de tout calcul. On savait qu'on pouvait compter les uns sur les autres en cas de coup dur. Maintenant, les visages sont fermés, méfiants. Et les regards scrutateurs semblent vouloir fouiller au fond de nos poches, et bien plus, au fond de nos pensées. Je ne suis pas loin de croire que ma mère a raison quand elle dit qu'il faut veiller à ne pas trop exhiber les signes de sa réussite. Qu'il faut savoir être discret. Éviter d'exciter les envies. Depuis que des gosses de l'immeuble ont rayé les portières de ma voiture parce que j'ai distribué quelques gifles le jour où je les ai surpris en train de défoncer les boîtes aux lettres dans le hall d'entrée, je me méfie des possibles réactions. On dirait que les parents ont perdu toute autorité sur leurs enfants. Quand je pense aux exigences de mon père, à ses principes ! Et pourtant, il venait de la campagne. Eux sont nés ici, et devraient au moins être habitués à la vie en communauté, au respect des espaces communs. Je me demande ce qu'on leur apprend à l'école, et quelle pression on leur fait subir pour qu'ils déversent ainsi leur agressivité une fois dehors. Dégradations et insolence semblent être pour eux les seuls moyens d'affirmer leur présence au monde. Au risque délibéré de porter préjudice à leurs parents ou à leur entourage immédiat. Sans en mesurer un seul instant les conséquences. Nous avons grandi ici, nous avons commis pas mal de bêtises, mais rien à voir avec ces hordes de gamins qui s'en prennent à tout et à tout le monde. Nous n'avons jamais eu pareils agissements. Je ne veux pas que ma fille grandisse dans cet environnement ! Il faut absolument que je relance le vice-président de l'APC. C'est lui qui préside la commission d'attribution des lots de terrain à la mairie. Son frère s'entraînait au demi-fond, au stade, au temps où j'y allais avec Amine. Et, contrairement aux relations familiales, les amitiés sportives sont solides. Les liens ne se rompent jamais. Il suffit juste de savoir les entretenir. C'est lui qui m'a présenté et a déposé mon dossier. Cela prendra du temps, je le sais, mais, avec ce petit coup de pouce, tout ira certainement plus vite. Au besoin, je pourrais trouver un arrangement avec lui pour qu'il classe mon dossier parmi les premiers. Je suis sûr que le jour où nous irons visiter le terrain qui nous sera attribué sera le plus beau jour de la vie de ma mère. Sa revanche sur la vie. Elle a suffisamment souffert de sa relégation au rang de femme délaissée et des regards compatissants des voisines. Elle aurait même voulu que je demande à Hamid d'intervenir. Maintenant qu'il est revenu de Russie avec son grade de capitaine, il peut accélérer les choses, répète-t-elle souvent. Mais je ne veux pas me sentir l'obligé d'un frère qui n'est plus préoccupé que de sa carrière. La distance est telle entre nous que je me sentirais presque humilié. Les rares fois où il vient à la maison, il a encore pour moi des mots condescendants, comme lorsque nous étions petits. Il a toujours les mêmes attitudes protectrices envers moi, plus encore depuis qu'il a réussi à me faire exempter du service national. Il me le rappelle souvent, par des allusions sur les devoirs d'un citoyen. Il a exactement le même comportement avec sa femme Irina, qui, lorsqu'elle est chez nous, se contente de rester assise sur une chaise, les mains jointes sur les genoux, sans bouger, sans parler, sans manifester la moindre impatience. Tous les efforts de Lilas pour entamer une conversation avec elle sont inutiles. Je me demande souvent comment elle et Hamid se sont connus. S'ils se sont aimés. Et surtout, pourquoi elle l'a épousé et suivi jusqu'ici. Je sais qu'en URSS la vie n'est pas facile. Que les Russes sont confrontés à des problèmes de survie quotidienne. Hamid nous a raconté les queues interminables devant les magasins d'État, le rationnement, les pénuries. En l'épousant, sa femme ne devait pas se douter que nous vivions la même situation. Mais j'oublie souvent que Hamid ne connaît pas toutes ces difficultés. Il est militaire. Et gradé ! Je suppose qu'il n'a jamais à se soucier d'approvisionnement. Irina n'a plus à faire la queue pour trouver de quoi se nourrir. Elle doit donc être heureuse. Mais cela ne se voit ni sur son visage, ni dans son comportement. On n'a pas l'impression qu'elle pourra un jour s'intégrer à sa nouvelle famille. Ma mère dit qu'elle vient d'un pays du froid, et que le climat de ces pays-là fige le sang dans les veines. Par conséquent, même sous le soleil africain, elle n'arrive pas à se dégeler. Ma mère essaie de temps en temps de se rapprocher d'elle. Mais sans succès. Irina ne parle ni l'arabe ni le français, et Hamid s'adresse à elle en russe. Ça impressionne beaucoup ma mère, qui continue à avoir pour lui le même regard admiratif, les mêmes soins empressés qui m'énervaient tant autrefois. Je lui ai interdit de le solliciter pour quoi que ce soit. Je veux me débrouiller seul. Et surtout lui prouver que j'en suis capable, grâce à l'argent que je gagne, grâce à mon travail. J'ai hâte de voir comment Lilas et ma mère réagiront le jour où, tous ensemble, nous quitterons définitivement l'appartement. J'espère que ce sera un jour important pour Lilas. J'aimerais en être sûr.

Elle

Il y a les sourires de mon enfant.

Il y a les pleurs de mon enfant.

Il y a son gazouillis matinal, qui m'éveille aussi légèrement qu'un chant d'oiseau dans la lumière d'un matin de printemps.

Il y a les bras que tend vers moi mon enfant. Son visage qui s'éclaire dès que je me penche sur elle, dès qu'elle m'aperçoit, dès qu'elle se remplit de la certitude que je suis là. Que je serai toujours là.

Il y a la bouche de mon enfant qui se plisse autour du mamelon, ses lèvres qui me happent, ses yeux obstinément rivés sur mon visage, sa petite main posée en toute confiance sur mon sein quand je l'allaite. Cette sensation presque douloureuse d'un plaisir jusqu'alors inconnu, qui prend naissance dans mon ventre et se répand dans mon corps.

Il y a l'odeur de mon enfant, unique, indescriptible, celle que je respire dans les plis si tendres de son cou, qui me submerge quand je la prends dans mes bras, odeur que je reconnaîtrais entre mille.

Et puis, au fil de jours remplis à ras bord d'une myriade de petits miracles, il y a les premières syllabes que balbutie mon enfant et que je suis seule à comprendre.

Il y a l'éclat nacré de ses dents, perles entrevues dans un cri ou dans un sourire.

Il y a ses mimiques si comiques. Ses colères, ses caprices, pluie et vent sur mon enfant miracle.

Il y a ses premiers pas, ses maladresses, ses hésitations, ses élans souvent stoppés par des chutes, et mes mains toujours proches, toujours prêtes à l'aider à se relever.

Sa main qui s'empare de la mienne et m'entraîne à la découverte d'un monde que je ne voyais plus, cailloux, plantes, fleurs, fourmis, limaces, feuilles mortes, brindilles sèches, et les toutes petites bêtes qui rampent sur les racines entremêlées des arbres.

Il y a ses chagrins, ses peurs, le loup qui, sorti des pages du livre lu avant que ne se ferment ses yeux, surgit au cœur de la nuit et darde sur elle des yeux jaunes, luminescents.

Il y a mes peurs inconscientes, inavouées, pas même formulées, surtout pas, et mon cœur qui tremble à chaque appel, à chaque vacillement, à chaque cri dont seule je sais reconnaître la détresse qui en est cause.

Il y a ces milliers de talismans que je voudrais suspendre à son cou, pour que rien, jamais rien ne l'atteigne, ne lui fasse mal.

Il y a mon amour sauvage, au-delà du raisonnable, un amour exclusif éclos un jour d'hiver pour cet être né de moi au bout d'une attente, d'une impatience si grandes qu'elles ont effacé toutes les autres attentes, toutes les autres impatiences.

Il y a à présent, et pour tout présent, Alya, et rien d'autre.

Rien d'autre ?

Non, rien d'autre, j'en suis sûre aujourd'hui.

1982-1992

Elle

Il paraît que le premier nom d'Alger fut Ikosim, l'île aux mouettes ou, selon d'autres sources, l'île aux hiboux. Il me plaît, à moi, d'imaginer quelques habitats épars sur des rivages tourmentés et battus par les vents, où s'ébattaient des mouettes dont la blancheur n'a d'égales que leur promptitude à fondre sur leur proie et la persévérance dont elles font preuve pour trouver de quoi se nourrir. Je préfère les mouettes aux hiboux, rapaces nocturnes, occupants lugubres de grottes enténébrées, oui, les mouettes blanches sillonnant le ciel dans une lumière aussi vive que celle qui, les matins d'été, éclabousse la ville dès le commencement du jour.

Des mouettes, Alger a toujours la blancheur, mais aussi, et de plus en plus, la voracité et l'obstination à ne pas se fixer plus de quelques instants dans un regard.

On dit aujourd'hui qu'Alger a perdu son âme. Mais qu'est-ce qui fait l'âme d'une ville ? Ses constructions, ses monuments, ses vestiges, ou bien ses habitants ? Alger reste, encore et malgré tout, ville de rencontres, de ruptures et de déchirements, de scènes de liesse ou de désespoir.

Je ne saurais dire d'où vient cet appel, cette envie d'aller à la rencontre de la ville. Peut-être du sentiment de plus en plus aigu d'une lente détérioration, lente mais irréversible, et le besoin de me raccrocher à l'histoire, de rechercher dans les rues, dans les pierres, et sur le visage des hommes et des femmes, les traces, l'espoir d'une possible résurrection.

Jour après jour, je me laisse porter par cet appel, et Alger s'offre à moi. Alger la blanche, blanche comme les bougies qu'allument les femmes, là, tout près de moi, sur le tombeau recouvert d'étoffes vertes et soyeuses du saint patron de la ville, Sidi Abderrahmane, dont le mausolée est source de baraka et, plus loin, un autre jour, sur le catafalque de Sidi M'hamed, le saint aux deux tombeaux.

Je ne veux pas me laisser prendre au piège de la nostalgie. De cette nostalgie parée des couleurs des mystères orientaux, cultivée par quelques familles désespérément agrippées à leur généalogie, et qui toisent du haut de leur histoire les nouveaux citadins, les villageois qui ont envahi «leur» ville, Algé-riens aujourd'hui élevés au rang d'Algé-rois.

Je ne veux pas écouter les voix de ceux qui racontent les soirées parfumées de jasmin et les nuits parcourues d'airs andalous et de frôlements subreptices. Ceux qui évoquent à mi-voix les femmes enfermées dans les patios ombragés et celles qui s'aventurent craintivement dans les rues, rasant les murs, revêtues d'un voile qui les fait ressembler à des fantômes. Il m'arrive cependant, comme bien d'autres, d'exhumer les souvenirs des promenades sur le front de mer, des odeurs d'anisette, de merguez et de sardines grillées qui rôdaient dans les rues de Bab el Oued, et plus loin encore, jusqu'à la pointe est de Fort de l'Eau ou, à l'opposé, de la Madrague, aujourd'hui El Djamila, la toute belle.

Ou parfois de prêter l'oreille à ceux qui racontent les marchés hebdomadaires qui se tenaient aux portes de la ville, les palabres et les marchandages qui donnaient, dit-on, un goût de victoire à chacun des deux protagonistes. Certains se souviennent encore aujourd'hui du porteur d'eau et de ses cris au matin, pendant que déjà le pain pétri aux premières lueurs de l'aube commençait à lever dans les cuisines obscures.

Je préfère me perdre dans les labyrinthes de la Casbah, bastion historique, reconnu et célébré de la tradition. Après avoir fait un détour par la place du Cheval, ou *Placet El Aoud,* sans y voir de cheval, la statue du duc d'Orléans pointant son épée sur la Casbah ayant été déboulonnée, j'entre enfin dans la vieille ville, autrefois mystérieuse et envoûtante, accrochée au flanc de la colline, préservant jalousement l'intimité et l'inviolabilité de ses maisons aux murs aveugles, séparées par un dédale de ruelles aussi étroites que malodorantes, lieu propice aux délires enthousiastes et à l'assouvissement des fantasmes de multiples voyageurs en mal d'exotisme. La Casbah à présent si délabrée que même ses amoureux les plus fervents s'en détournent et ne rêvent plus que de blocs de béton.

On murmure que dans ces lieux, là où bat le cœur de la ville, il n'y a plus que quelques nostalgiques qui savent écouter Momo le poète.

On y entend parfois quelques notes grattées sur un mandole par des jeunes installés sur un terrain vague encombré de détritus, un refrain *chaâbi* repris en sourdine : « *La colombe à laquelle je m'étais habitué s'en est allée, il ne me reste que… »*, et la suite s'envole dans la nuit au milieu d'éclats de rire et de quolibets. On sait la pudeur, la rudesse orgueilleuse et le goût du secret de ceux qui aiment. Qui aiment vraiment. Et qui ne peuvent retrouver l'élue caressée longuement en rêve – seulement en rêve – que bien plus loin, dans les recoins ombragés du bois des Arcades ou du Jardin d'Essai.

Un peu plus loin, je vais rechercher au marché de la Lyre des produits « made in ailleurs » auprès de cette nouvelle race de commerçants qu'on surnomme trabendistes. Des jeunes, très jeunes gens, aguerris par les nombreux contournements des lois sur les importations, pugnaces, entreprenants et de plus en plus au fait des cours des devises, des fluctuations de l'offre et de la demande, des conditions d'accès aux visas et des places commerciales du monde entier. Des aventuriers souvent rançonnés par la *tchipa*, cette quote-part prélevée par chacun de ceux qui, à un moment donné, interviennent pour permettre la fraude et faciliter la transaction. Ce sont à présent des voyageurs professionnels, aux cabas de plus en plus lourds, aux rêves de plus en plus audacieux, et qui demain, sans nul doute, deviendront des hommes d'importance, à mesure que s'accroîtront leur pouvoir et leur fortune.

C'est justement dans la jeunesse croisée au détour de chaque rue, de chaque boulevard – une jeunesse exubérante, provocante, parfois rageuse, toujours dérangeante, qui impose partout son rythme et marque partout sa présence insolente –, qu'on peut lire le présent. Des jeunes filles qui sortent d'une pizzeria en riant aux jeunes gens installés sur les trottoirs, l'humour à fleur de lèvres, et dont chaque réplique s'apparente à une escarmouche.

Chaque soir j'emporte avec moi des images saisies à différents moments du jour. Des hommes âgés qui, assis sur des tabourets à l'ombre d'un arbre, jouent aux dominos sur un bout de trottoir près du marché Meissonnier, et qui semblent avoir toujours été là, à la même place, depuis le commencement du monde. Des enfants vifs et turbulents qui, quartier par quartier, parcourent les rues, viennent sonner à nos portes ou s'installent devant les marchés pour vendre du pain «maison», des galettes, des feuilles de brik, de la coriandre, de la menthe ou du persil. Des femmes en haïk ou en djellaba qui investissent les allées des cimetières, espaces de sociabilité tout comme les hammams, cimetières où, chaque vendredi, sont proposés aux visiteurs bijoux, vaisselle et diverses babioles. Des jeunes filles faussement effarouchées, s'offrant aux regards sur les balcons et terrasses, loin, très loin de ces «altières sultanes alanguies au bord de quelque lac d'opale» décrites en 1929 par Antoine Chollier, un écrivain en mal d'orientalisme. Et puis, au détour d'une rue, comme un pied de nez à l'histoire, cette plaque : rue des Libérés, anciennement rue des Colons.

Alger, faiseuse et défaiseuse de rêves, aujourd'hui dominée par le Mémorial du Moudjahid au-dessus du bois des Arcades et par le monument élevé par les Canadiens, Riadh el Feth, conçu pour marquer à jamais le règne du président Chadli. Alger que nul ne peut évoquer sans parler de sa baie – la plus belle du monde –, des virées à la pêcherie, des balades au Jardin d'Essai, des trottoirs remplis d'étudiants de la rue d'Isly, de la rue Michelet, à présent rues Ben M'hidi et Didouche.

Toute l'histoire d'Alger est écrite dans ses rues. Sur les façades de ses bâtiments. Dans les tours et tourelles qui ornent les petits châteaux en bord de mer du côté de Bologhine, autrefois Saint-Eugène, dans les allées bordées de mûriers, dans les immeubles de style colonial aux balcons de fer forgé, conçus dans la plus pure inspiration haussmannienne, dans les maisons d'architecture néo-mauresque sur les hauteurs de la ville, entourées de murs blancs recouverts de grappes de glycines.

Mes promenades ressemblent à une espèce de reconstitution historique. Et je ne me lasse pas de déambuler dans cette ville que j'aime tant, Alger, maintes fois conquise, maintes fois libérée.

Alger, parfois impudique, jamais vraiment soumise, et qui garde en elle l'empreinte de ces multiples déchirements, reste encore aujourd'hui indocile, indomptable.

Lui

Visite au chantier. Les travaux n'avancent pas. Il faudrait changer d'équipe. Mais comment faire ? À qui m'adresser ? L'entrepreneur est toujours aux abonnés absents. Les maçons en profitent pour s'accorder des pauses interminables. Largement méritées selon eux, bien sûr. Il n'est pas question de leur en faire la remarque. Ils abandonneraient tout de suite le chantier. Ce n'est pas le travail qui manque dans le bâtiment. L'entrepreneur ne vient jamais vérifier l'avancement des travaux, ni l'approvisionnement en matériaux. Prétextant être retenu sur d'autres chantiers, ou, plus souvent, dans des commissions d'attribution de marchés. Il soumissionne, dépose des offres et intrigue avant l'ouverture de plis pour la réalisation de grands projets immobiliers. Projets sans commune mesure avec la construction d'une simple maison de particulier. Et surtout autrement plus importants pour son image, bien plus lucratifs. Il n'a aucun scrupule à me le dire. Il fait maintenant partie des citoyens les plus sollicités de la ville, voire du pays. Et du fait de son enrichissement, l'homme est plus courtisé qu'une prostituée de luxe. En réalité, il n'a pas de temps à perdre sur un chantier tel que le mien. Une broutille ! S'il a accepté de considérer ma demande, c'est parce qu'il a appris par des amis que j'étais le frère d'un capitaine, et que le susdit capitaine était responsable des marchés à la DNC ANP, l'entreprise de construction de l'armée. Cela a suffi pour le convaincre. Et pourtant, je n'ai pas sollicité Hamid. Mais tout se sait à Alger. Alger n'est plus qu'un village où des réseaux d'intérêts se tissent au gré de combines et d'accointances momentanées. Tout se trame et se murmure dans le secret des antichambres et dans l'atmosphère trouble et enfumée des bars. Je ne sais qui lui a glissé cette information à l'oreille. La perspective d'une possibilité d'entrer en contact avec Hamid a immédiatement balayé toutes ses réserves. Ne t'inquiète pas, mon frère, dans six mois tu m'inviteras à pendre la crémaillère ! Il m'a dit ça le jour où il est venu voir le terrain qu'on venait de m'attribuer. Il y a un peu plus d'un an. Entre-temps, c'est lui qui a multiplié ses invitations, toutes amicales. Viens un jour chez moi, mon frère, et amène ton frère, on pourra discuter autour d'une bonne bouteille de Chivas. À voir son front de taureau, ses yeux étroits et fureteurs, sa démarche de pachyderme prêt à écraser tout ce qui pourrait se mettre en travers de son chemin, on comprend très vite qu'il ne reculera devant rien. Une véritable caricature. Il semble avoir tété le lait au sein d'une espèce très particulière. Celle d'une nouvelle race de prédateurs qui échapperait à toute classification des genres. Plus jeune que moi, exclu du collège pour d'obscures raisons, il a commencé par être géomètre après avoir suivi une formation dans un centre professionnel. Juste de quoi acquérir quelques vagues notions de mesure et d'arpentage. Et les rudiments d'un métier qu'il n'avait pas l'intention d'exercer longtemps. Il est particulièrement prolixe pour décrire les étapes de sa réussite fulgurante. Je suis parti de rien, mon frère. *Walou*! Et maintenant, grâce à Dieu le Tout-Puissant, le Miséricordieux, je recueille les fruits de mon travail. Dieu est grand! Dieu est particulièrement sollicité en ce moment. Et très chaudement remercié par bon nombre de citoyens qui lui rendent grâce au détour de chaque marché conclu, de chaque liasse de billets échangée. Sans oublier de donner forme concrète à leur reconnaissance, en participant généreusement à l'édification de mosquées dont, fait remarquable, le nombre augmente en même temps que celui des villas au luxe ostentatoire. Lilas et moi avons voulu une maison très simple. Rien à voir avec ce qui pousse dans le lotissement où nous avons obtenu un bout de terrain. Mais nos futurs voisins font de la surenchère. Maintenant que l'accès à la propriété privée est facilité, on construit partout et n'importe comment. Sans se soucier le moins du monde des règles de l'urbanisme. Et si on ne connaissait pas les règles du jeu, on pourrait se demander comment ils ont réussi à obtenir un permis de construire auprès des services concernés. Mais c'est le genre de question qu'on ne pose plus, ici. Le principe de base étant d'afficher la preuve solide, visible et enviable de sa réussite. Avec, bien entendu, des jardins protégés par des clôtures surélevées, et des barreaux à toutes les fenêtres. Pendant ce même temps, dans notre immeuble, tout semble prendre un sens exactement inverse. Plus personne ne se soucie de l'état des lieux. Et les espaces communs sont dans un état de délabrement inquiétant. Je n'ai qu'une hâte, en finir avec cette construction qui n'avance pas! Heureusement que les affaires marchent plutôt bien. Que ce soit en droit civil ou en pénal, les tribunaux ne désemplissent pas, et je n'ai pas le temps de chômer. Lilas a fini par s'habituer à me voir arriver à des heures impossibles. Je suis bien obligé. Plus le temps de parler. Plus le temps de penser à autre chose qu'à résoudre les dizaines de problèmes qui se posent à moi chaque jour. Plus le temps de m'appesantir sur des sautes d'humeur, sur des malentendus, sur de légers accrocs, des petits riens qui prennent une proportion démesurée chez elle. Je pensais qu'avec la naissance d'Alya elle irait vers plus de maturité, plus de sagesse. Mais elle est toujours aussi exaltée, aussi exigeante. Toujours à poser des questions. Pourquoi. Comment. Pourquoi tu ne dis rien ? Tu es toujours absent, et même quand tu es là, j'ai l'impression que je n'existe pas pour toi. Pour elle, je ne suis pas *assez*. Pas assez prévenant, pas assez attentif, pas assez présent. Et j'ai moi-même l'impression qu'elle est *trop*. Elle amplifie, elle développe, elle dramatise. Après toutes ces années de vie commune, on n'en est plus là. L'harmonie dans un couple ne peut tenir éternellement en équilibre sur une seule note. J'essaie parfois de lui demander de se comporter comme une vraie femme, sensée et responsable, au lieu de perdre son temps à analyser, à examiner chaque mot, chaque attitude, pour y puiser de quoi alimenter ses rancœurs. Quelquefois, je me dis qu'elle ferait mieux de reprendre le travail. Elle pourrait ainsi prendre la mesure de souffrances et de détresses bien plus réelles, et se rendre compte de la chance qu'elle a. Ma mère s'occuperait d'Alya. De cette façon, Lilas se sentirait plus libre. Je pourrais même lui acheter une petite voiture d'occasion, puisqu'elle ne veut plus prendre les transports en commun. Il faut qu'on en parle. Elle pourrait travailler à mi-temps dans une entreprise nationale. En tant que psychologue-conseil. Comme dans toutes les administrations publiques, on n'y est pas très regardant sur les horaires. Quelques heures de présence hebdomadaires, voilà tout. Et si elle travaille, elle aura moins de temps pour s'appesantir sur ses états d'âme et évoquera moins ce « nous » qu'elle ne sait plus prononcer qu'avec des reproches dans la voix. Mais je ne sais pas si elle acceptera. On dirait qu'elle a renoncé à tout depuis la naissance d'Alya. Elle dresse sa fille comme un rempart entre nous. Et contrairement aux tout premiers temps, elle ne s'intéresse à notre future maison que du bout des lèvres. Elle semble toujours avoir de bonnes raisons pour ne pas venir sur le chantier. C'était pourtant ce qu'elle semblait désirer le plus au monde, une maison ! Quand je lui en fais la remarque, elle répond qu'elle n'a plus le temps. Elle non plus. Je me demande à quoi elle passe ses journées. Je sais qu'elle sort très souvent avec Alya pour d'interminables promenades dans la ville. Et quand elle rentre, elle s'enferme dans la chambre pour lire ses éternels romans, qui envahissent aujourd'hui toutes les étagères de la bibliothèque et qu'elle achète par dizaines chez le bouquiniste de la rue Didouche. Les livres peuvent parfois être dangereux. Ils éloignent de la vraie vie. À force de fréquenter des personnages imaginaires, on peut perdre tout contact avec la réalité. Il lui arrive certainement la même chose qu'à ces femmes qui passent leur temps à suivre les séries télévisées qu'on passe quotidiennement à la télévision. De plus, fait nouveau, elle s'est mise à fréquenter certaines voisines. Progrès ou régression ? Je ne sais plus. Elle s'est découvert de nouvelles affinités. Sans doute pour joindre sa voix au chœur et aux complaintes des femmes mal-aimées, incomprises. Ma mère me dit qu'elle passe des heures chez madame Moreno, la vieille Française qui habite dans l'autre bâtiment. Quand elle n'est pas chez sa mère, c'est-à-dire dans le lieu de réunion officiel de toutes les bonnes femmes de l'immeuble. Et elle y emmène la petite, pour ne donner prise à aucun grief. Elle préfère accumuler les siens. C'est bien plus habile. Elle n'a donc rien de mieux à faire ? Il faudra que nous ayons une vraie discussion. Mais avec elle, toute discussion ne peut que déboucher sur mes prétendues indisponibilités. Et bien entendu, toute tentative d'explication se termine presque toujours par des larmes. Heureusement, nous allons bientôt partir. Nous quitterons définitivement cette ambiance délétère. Et elle aura de quoi s'occuper. Oui, tout changera quand nous serons chez nous, loin de tout ce qui assombrit notre vie.

Elle

Se débattre. Prisonnière d'un filet que l'on a tissé soi-même. Solidement. Jour après jour. De façon qu'il ne puisse céder. Un filet résistant. Résistant à toute épreuve. À toute colère, même la plus affilée.

Lui

Quelque part sur les hauteurs d'Alger. Quartier résidentiel. La villa, entourée d'un mur blanc, très haut, est invisible de l'extérieur. On y accède par une petite porte qui donne sur un jardin tout en longueur, à plusieurs niveaux. Palmiers, plantes exotiques, tonnelles recouvertes de glycines, allées pavées de pierres blanches. La bâtisse, de construction ancienne, est de style mauresque. Fenêtres en arc fermées de grilles en fer forgé et bordées de faïences émaillées. Portes ferrées de cuivre. Dans le salon où l'on me fait entrer, ce ne sont que grands coffres sculptés, tables en bois précieux et marquetées, fauteuils recouverts de velours bleu pâle et miroirs incrustés de nacre. Sol en marbre rose, d'une seule coulée, et murs blancs. Debout au milieu de la pièce, je ne sais quelle contenance adopter. Je me dis, un bref instant, que j'aurais pu être chez moi. C'est la première pensée qui me vient en entrant dans cette maison. Brusquement, ces vers de Baudelaire, appris en classe de première, me reviennent en mémoire : « *Là, tout n'est qu'ordre et beauté, luxe, calme et…* » J'ai l'impression que mon cerveau réagit de façon mécanique. Et cette phrase, qui résonne dans ma tête, comme un leitmotiv : aujourd'hui, votre père est mort.

Une voix inconnue à l'autre bout du fil. Un coup de téléphone de la femme qui partage sa vie depuis qu'il nous a quittés. Il a été transporté en France pour recevoir des soins intensifs après un infarctus. Mais les lésions du myocarde étaient trop importantes. Mortification du muscle. Le cœur a lâché quelques heures après son admission à l'hôpital. Ce sont les termes du rapport médical qui accompagne le corps. Il m'a été remis par le chauffeur qui est venu me chercher chez moi. Certainement parce qu'on lui a dit que j'étais le fils. Une grande enveloppe blanche portant le cachet d'un hôpital parisien. Je l'ai déposée tout de suite en entrant, sur une table surmontée d'un miroir recouvert d'un drap blanc. Je ne connaissais pas l'adresse de la nouvelle maison de mon père. Nous n'avons rien su de sa crise cardiaque. Jusqu'à ce coup de téléphone, il y a deux jours. J'ai hésité. Fallait-il y aller ? C'est ma mère qui a insisté. C'est ton père après tout. Que diraient les gens ? Après tout ? Un bien petit mot, ce « tout », pour dire le vide, et pour dire mon vertige, ma nausée quand je me penche sur le cercueil. Pourquoi nous a-t-on appelés ? Était-ce son désir ? Voulait-il nous voir ? A-t-il prononcé mon nom avant de partir ? Toutes ces questions qui se bousculent dans ma tête resteront sans réponse. Rapatriement rapide, me glisse à l'oreille un des hommes qui accompagnent la dépouille. Et il ajoute, sur le ton de la confidence : c'est l'ambassadeur en personne qui s'est chargé des formalités. Entre hommes importants, on se serre les coudes. Dois-je manifester ma reconnaissance ? À qui ? Pourquoi ? Je reste debout devant la porte d'entrée. Il vient beaucoup de monde. Je serre des mains. Je reconnais certains visages pour les avoir vus aux informations télévisées. Dans les réunions quotidiennes du Parti qui composent l'essentiel du menu du journal de vingt heures. On me regarde, on s'informe discrètement, puis on vient à moi pour me présenter des condoléances. Je hoche la tête. Oui, je suis le fils du défunt. On me tape sur l'épaule. Que Dieu ait son âme et l'accueille dans son vaste paradis. Je suis un de ses fils. L'autre est là, assis dans un fauteuil. Il semble bien plus à l'aise. On le salue avec un peu plus de déférence. Il donne et reçoit des accolades empressées. Oui, Hamid est très entouré. C'est le fils aîné. Un fils digne de son père. Une belle carrière, lui aussi. Nous ne nous sommes pas concertés avant de venir. Nous ne sommes pas venus ensemble. Le défilé continue. Condoléances très attristées. Que la baraka de Dieu soit sur toi. Je marmonne la formule de circonstance. Ce qu'on attend de moi. Je suis le fils après tout. Je découvre un monde inconnu. Un inconnu aussi, cet homme dans le cercueil. À travers la lucarne vitrée, un visage blême. Le visage de mon père. Si je l'avais croisé dans la rue, je ne l'aurais pas reconnu. Et lui ? Il ne m'a pas reconnu lorsqu'il est sorti de prison. J'avais treize ans. Voilà près de quinze ans que nous ne nous sommes pas vus. Des hommes en gandoura blanche, assis dans la grande salle, psalmodient des versets du Coran. Je ne ressens rien. Je découvre une maison. Une famille. Du moins, deux personnes qui portent le même nom que le mien. Dont une sœur issue de la même semence. Je ne l'ai pas encore vue. Les femmes sont dans une autre pièce. Ma mère, elle, n'est pas venue. Et pourtant, légalement, elle est toujours sa femme. Le divorce n'a jamais été prononcé. Ni demandé. Elle ne connaît pas la maîtresse de ces lieux. Sa rivale. Je découvre, avec une stupeur qui confine à l'hébétude, les lieux où vivait mon père. Luxe, calme et… Loin, très loin des rumeurs de la ville. Comment pourrait-on partager les inquiétudes d'un peuple qu'on est censé représenter quand on vit dans un tel lieu, protégé par des murs aussi hauts ? Je comprends maintenant pourquoi il a voulu rompre définitivement avec son passé. Sa femme. Ses enfants. Son village. L'appartement. Tout ce qui pouvait lui rappeler trop crûment le milieu d'où il venait. La distance est grande, trop grande, entre notre petite maison au village et sa dernière demeure. Je savais, comme tout le monde, que des villas et des appartements somptueux, déclarés en mauvais état par des commissions spécialement créées pour la circonstance, avaient été cédés pour une bouchée de pain à de hauts responsables. Mais j'étais loin d'imaginer un tel luxe. La construction doit dater de l'époque où Alger était occupée par les Ottomans. Une maison restée de toute évidence dans l'état où ses derniers maîtres l'ont laissée. Meubles, bibelots, lustres, et certainement vaisselle, tout y a été conservé en l'état. Baies vitrées avec vue sur la baie d'Alger. La plus belle du monde. Ce ne sont que phrases toutes faites qui défilent dans ma tête. Un peu comme des bouées, des balises de sécurité auxquelles je tente de me raccrocher. C'est un monde qui m'est totalement étranger. Je ne sais pas ce que je fais là. Je devrais être au tribunal. Je n'ai même pas pensé à me faire excuser auprès du juge chargé de l'audience aujourd'hui. Mais il apprendra la nouvelle par les journaux. Autour de moi, les conversations vont bon train. Des bribes de phrases me parviennent. Attentats. Embuscades. Gendarmes tués. Officiers de police. Attaque d'une caserne. Des dizaines de morts. Tout Alger ne parle que de ça. Encore une fois, des mots qui disent la violence, la guerre, la mort. Pourquoi l'image de mon père est-elle toujours liée à la violence et à la guerre ? Simple hasard ? Cette fois, on parle d'hommes qui prétendent agir au nom de l'islam. Des islamistes. Menés par un certain Bouyali. Les hommes qui évoquent ces « troubles », selon la formule consacrée, ont le visage grave. Une brèche vient de s'ouvrir, qui menace l'édifice. Une menace venue de l'intérieur. Maintenant que les affaires sont florissantes et que la course est lancée, on ne peut pas tolérer la moindre ruade. Et ils l'ont bien compris, ceux qui d'une main exhibent leur carte d'ancien moudjahid, et de l'autre dissimulent une carte d'identité française récemment acquise au titre de la réintégration. Les taleb continuent de psalmodier. À un moment, sur un signal donné par un des proches de la famille, le frère de la femme de mon père je crois, tout le monde se lève. Le moment est venu. On emporte le cercueil recouvert d'un drapeau. Mon père était un moudjahid. Il faut lui rendre les honneurs. On se dispute presque pour porter le cercueil. Les femmes restent dans la salle. Devant la maison, surveillées par des policiers qui leur ouvrent le chemin, des dizaines de voitures, toutes plus luxueuses les unes que les autres, forment un cortège. Je monte dans l'une d'entre elles. Arrêt à la mosquée. Prière. Puis tout ce monde se retrouve au cimetière. Ciel de plomb. Pas un souffle d'air. Enterrement. Les deux mains jointes et ouvertes, on récite la *Fatiha*. Et c'est de nouveau le défilé des condoléances. Hamid est debout à côté de moi. Nous n'avons pas encore échangé un seul mot. Je serre des mains. La même formule répétée à l'infini. Que Dieu étende sa baraka sur vous. Je réponds machinalement. La tête vide. Trop de monde. Lunettes noires et visages fermés. Serrer des mains. Je me demande encore une fois ce que je fais là. Avec ces hommes que je ne connais pas, qui ne me connaissent pas, venus comme moi accomplir une formalité. C'est vrai, je suis le fils après tout. Devant la fosse ouverte, je mesure mon éloignement. Qu'ai-je de commun avec cet homme qui gît là et dont le corps va être recouvert de terre ? Je me revois enfant auprès de mon père, mon héros, un héros de la guerre d'Indépendance. Je me revois lui posant des questions et attendant des réponses que je recueillais précieusement. Debout, face au trou fraîchement creusé dans lequel on vient de déposer le corps, je réalise que j'ai perdu mon père trois fois. La première fois quand il est monté au maquis. La seconde quand il a décidé de changer de vie. Et là, maintenant. Quand donc l'ambition et la cupidité ont-elles dénaturé le sens qu'il voulait donner à sa vie en s'engageant pour défendre le droit à la liberté de tout un peuple ? Et qu'a-t-il bien pu se passer pour que ces idéaux si chèrement défendus soient aujourd'hui dévoyés à ce point ? Je n'ai pas de réponses à ces questions – que nous sommes nombreux à nous poser depuis un certain temps. Les pères auraient-ils failli ? Et qui est responsable de cette faillite ? Quand les hommes commencent à se disperser, Hamid se tourne vers moi. Il me tire par le bras et m'entraîne à l'écart. Il vaut mieux que ce soit toi qui t'occupes des papiers et des formalités pour l'héritage. Tu t'y connais mieux que moi. C'est ton boulot, après tout. Et s'il y a un problème, je suis là. C'est vrai. Droits de succession, filiation, héritage, c'est bien mon domaine après tout.

Elle

Ali dit que

Ali pense que

Ali me demande de

Ali voudrait que

Ali envisage de

Ali a décidé que

Ali refuse de

Ali insiste pour

Ma vie devrait se résumer à ça. Un ensemble de phrases ayant le même sujet. Avec des verbes exprimant des volontés, des opinions. Volontés et opinions auxquelles je me dois d'adhérer ou d'obéir.

Ali voudrait que je l'accueille avec un sourire, des attentions particulières et des paroles de réconfort lorsqu'il rentre le soir, fourbu, déprimé, incapable de prononcer un mot. Comme le fait sa mère qui accourt dès qu'elle l'entend tourner la clé dans la porte, qui l'embrasse, se désole de le voir si fatigué, lui masse les épaules, l'invite à s'asseoir pendant qu'elle court dans la cuisine pour réchauffer des plats qu'il goûte à peine.

Ali envisage de déménager le plus vite possible, même si la maison n'est pas entièrement terminée, pour tenter ainsi d'activer les travaux qui n'avancent pas bien qu'il ait changé déjà trois fois d'entrepreneur.

· Ali insiste pour que nous ayons un deuxième enfant. Alya qu'il voit à peine, à son grand regret assure-t-il, ne suffit pas à son bonheur. Et, pourquoi pas, un troisième. Un enfant unique, et qui plus est une fille, ne suffit pas en ces temps de procréation illimitée. Il en faudrait d'autres pour prouver notre engagement civique et notre volonté de participer à l'édification et au développement du pays. Des garçons de préférence. Question d'héritage. Et de fierté, comme dit sa mère en le couvant d'un regard plein d'orgueil.

À ce propos, Ali a décidé de ne pas porter plainte contre la femme de son père pour faux et usage de faux. En effet, elle a produit des papiers qui prouvaient que tous les biens acquis étaient les siens propres. Les actes de propriété rédigés à son nom sont, selon lui, parfaitement en règle. Une dernière précaution, un ultime pied de nez du père qui n'avait qu'une fille de son second mariage et qui connaissait bien les lois en vigueur pour la succession dans pareil cas. Ali refuse de s'engager dans une interminable procédure dont il pressent l'issue en raison des relations de son père et des hautes fonctions qu'il occupait. Contrairement à son frère et à sa mère qui s'accrochent à l'espoir de pouvoir prendre enfin leur revanche.

Ali me demande de chercher du travail dans une administration ou une entreprise. Quelques heures de présence hebdomadaire. Pour me changer les idées. Une occupation. Ni prenante, ni passionnante. Surtout pas. Une distraction en somme. J'y pense sérieusement. C'est peut-être une solution.

Ali pense que je n'ai aucune raison de ne pas penser comme lui. C'est à peu près tout ce que je sais. Puisque j'en suis réduite à des conjectures. Ali ne parle plus que pour dire qu'il n'a plus le temps de discuter.

Ali a toujours d'excellentes raisons de rentrer tard. Et d'excellentes raisons de s'emporter quand je lui en fais la remarque.

Alors je préfère me taire.

Lui

Conquérir. Découvrir. Construire. Fonder. Créer. Façonner. Forger. Produire. On pourrait presque retracer l'histoire de l'humanité à partir de ces seuls verbes. Ou l'histoire de chaque homme. Toute une vie d'homme. En y ajoutant les verbes apprendre et transmettre. Et depuis que j'étais tout petit, à coups de slogans populistes, de déclamations et de mensonges, l'on m'a fait croire que je pouvais, que j'allais vraiment apporter ma pierre à l'édifice. Foutaises. Conneries que tous ces grands mots qui tentent d'entretenir le feu sacré. Indépendance, révolution agraire, révolution industrielle, révolution culturelle, édification d'un pays neuf. Multiplions-nous, croissons, unissons-nous pour aller de l'avant et façonner nous-mêmes notre histoire. Nous sommes les bâtisseurs, les conquérants, les justes. Auréolés d'un prestige acquis par les milliers d'hommes tombés au champ d'honneur, nous avons légitimement cru que nous pourrions, par cet élan impulsé, continuer à mettre nos pas dans ceux des martyrs qui n'ont pas pu voir leur pays libéré. Nous célébrons nos martyrs, nous leur avons dédié des monuments, nous nous recueillons sur leurs tombes, mais sommes-nous dignes de leur sacrifice ? Nous avons cru faire ployer l'histoire et lui imprimer à tout jamais le cours que la Révolution avait commencé à lui donner. Justice, fraternité, égalité. Tu as de la chance, me disait-on. Tu grandiras libre et digne. Tu ne connaîtras ni servilité, ni humiliation, ni oppression. Tu seras un homme libre, mon fils. Et me voilà aujourd'hui témoin impuissant de toutes les dérives d'un système qui justement puise sa légitimité dans cette histoire. Un système trop aveuglé par la défense de ses propres intérêts pour pouvoir voir et prendre la mesure de la détresse et la colère d'un peuple qui gronde. Comment ne pas se sentir inquiet devant les émeutes qui secouent le pays un peu partout ? Des émeutes rapportées comme de simples faits divers par les journaux acquis à la cause du pouvoir, et considérablement amplifiées par la rumeur. Constantine, Sétif, Oran, et d'autres villes encore. Quand on sait que tout dialogue est impossible, il ne reste plus que la rue. À l'aveuglement et à la surdité des uns, répondent la violence et la démesure des autres. Je me souviens qu'en 1963, dans un discours historique, Ben Bella s'était écrié face à l'invasion marocaine : *Hagrouna !* Ils avaient profité de notre faiblesse pour nous humilier. Et le peuple algérien tout entier, ressentant profondément l'humiliation, s'était dressé comme un seul homme. Quand l'humiliation se nourrit du spectacle quotidien des privilèges accordés aux uns et qu'elle est assortie de vexations quotidiennes infligées aux autres, comment s'étonner de la violence des réactions ? *Hogra*, ce mot honni, qui veut dire à la fois injustice et mépris, n'est qu'un murmure dans la bouche de ce plaignant qui vient d'être débouté par un juge alors qu'il avait en main toutes les preuves du bien-fondé de sa plainte pour occupation illégale, par un élu de l'assemblée populaire communale, d'une maison dont il exhibe inutilement le titre de propriété. Ce cri dans la bouche d'un jeune homme condamné lourdement pour trafic et importation illégale de marchandises, dénoncé par ceux-là mêmes, policiers et douaniers du port, qui lui ont fait payer le prix fort pour l'aider à passer sa marchandise. Les pleurs de cette femme au sortir d'un procès qu'elle n'a pas gagné, qu'elle ne pouvait pas gagner, à cause de l'application rigoureuse de l'article 52 du code de la famille relatif au domicile conjugal en cas de divorce. Répudiée par son mari, elle doit quitter sa maison, même si elle a la garde des enfants. Le verdict a été prononcé par un juge soucieux de faire respecter la loi. Sans aucun état d'âme. Elle ira le soir même rejoindre les mères répudiées qui dorment avec leurs enfants sous les arcades du boulevard du front de mer. Elle est bien là, la cohorte de ceux qui, impuissants, se sentent chaque jour humiliés, exclus d'un système dont ils ne peuvent faire partie faute d'argent, faute de connaissances, faute de piston. Toutes ces personnes qui arpentent les abords des palais de justice et finissent par sombrer dans le désespoir et parfois dans la folie. La plupart n'ont d'autre solution que de tenter à leur tour de rentrer dans les combines, de payer des pots-de-vin, des dessous-de-table, des bakchichs – ce qu'on appelle entre nous le *café*. Un café de plus en plus corsé. Il y a le *café* du planton, l'homme le plus craint et le plus haï des requérants et des solliciteurs. À la fois cerbère, vigile, le planton est le pivot de tout le système. Ah ! Qui dira jamais la toute-puissance de cet homme assis dans les halls et dans les couloirs à l'entrée de chaque administration, à chaque étage parfois, assis derrière une table qu'on dirait faite à ses mesures, l'homme qui préside aux admissions auprès des fonctionnaires, qu'ils soient chefs de service ou subalternes, et s'emploie avec zèle à faire barrage pour filtrer l'accès aux bureaux capitonnés de ceux qui ont établi leurs quartiers dans l'empyrée. Ils ont tous le même regard de bouledogue, la même nonchalance, la même intransigeance, la même insolence, la même arrogance face à ceux qui leur apparaissent indignes de pénétrer dans les lieux qu'ils gardent, et la même déférence, le même empressement pour les autres, ceux qui ne leur accordent même pas un regard et ne les saluent jamais avant de pénétrer là où ils sont toujours attendus, toujours bien reçus. Il y a aussi le *hammam* de la secrétaire, celle qui réceptionne et classe les dossiers, les fait passer en priorité, les rejette ou les confie aux oubliettes en fonction du degré de sympathie qu'on aura su lui inspirer. *Hammam* pour les femmes, *café* pour les hommes. Conformément aux usages en vigueur dans la société. D'une façon générale, les plantons apprécient beaucoup le café, et ils ne sont pas les seuls. Surtout en ces temps de pénurie. Qui n'a pas croisé, dans n'importe quelle administration, ces pauvres hères qui déambulent des journées entières le long des couloirs, leur convocation en main, et se font renvoyer de bureau en bureau, pour une signature oubliée, pour un document manquant, pour indisponibilité chronique de chaque responsable ? Il faut voir ces femmes, trifouillant de leurs doigts tremblants leur corsage pour en tirer un mouchoir noué aux quatre coins et en extraire des papiers soigneusement pliés, protégés par une poche de plastique, documents dont elles ne connaissent pas la teneur parce qu'elles n'ont jamais su lire. Des femmes pour la plupart veuves de guerre, pour la plupart désarmées devant la machine bureaucratique dont elles ignorent les rouages et le subtil fonctionnement. Il faut ajouter à tout cela les prélèvements obligatoires, ceux qui, décidés en haut lieu, unilatéralement, expriment notre total engagement pour des causes révolutionnaires, et amputent d'une journée de salaire les émoluments des fonctionnaires. Et nous consentons à ces dérives en silence. Et mieux encore, nous y participons. C'est ainsi que je me suis vu obligé de soudoyer le responsable de la distribution de sacs de ciment de la Société nationale des matériaux de construction, seule habilitée, par la grâce du monopole, à produire et à distribuer lesdits matériaux, pour pouvoir obtenir les quelques sacs qui me permettent de poursuivre la construction. À glisser la pièce à divers employés de diverses administrations, pour qu'ils me délivrent au plus vite les certificats de conformité, les autorisations nécessaires pour effectuer les branchements d'eau et de gaz sur le chantier. À rendre service à ceux qui pourraient me tirer d'un mauvais pas ou me faciliter l'accès à des produits de première nécessité. Cela, mon père l'avait compris très vite. Il a été l'un des premiers à mettre en pratique le système qui consiste à ne prendre en considération une demande, une requête que dans la mesure où l'on pourrait soi-même en tirer profit à un moment ou à un autre. Il avait un flair particulier, une intelligence aiguë pour repérer les bonnes personnes. Moi-même j'ai appris à ne pas me dresser sur mes ergots lorsqu'on vient me trouver pour me demander d'intervenir auprès d'un juge ou d'un procureur. Reléguant dans les recoins les plus lointains de ma conscience le serment que j'ai prêté un jour avec une émotion naïve, et par lequel je m'engageais à « exercer mes fonctions avec dignité, conscience, indépendance, probité et humanité ». Beaucoup d'eau a coulé sous les ponts depuis. J'ai appris à faire table rase de mes principes et à rechercher, par intérêt, la compagnie des personnes dont je méprise profondément l'opportunisme, l'attentisme. Et je me souviens parfaitement comment et par quoi cela a commencé. C'était précisément le jour où j'ai accepté avec soulagement, et plus encore, avec un bonheur non dissimulé, l'intervention de Hamid auprès d'un de ses amis chargé des listes de recrutement pour être dispensé du service national, alors que mes copains ont été obligés de répondre à l'appel. Et bien sûr, je me suis trouvé des raisons tout à fait valables et en totale adéquation avec des principes brandis comme des alibis. J'ai eu beaucoup de mal à l'admettre. Et c'est grâce à Lilas, à son intransigeance et à sa lucidité, que j'ai enfin ouvert les yeux, que j'ai pris conscience de la facilité avec laquelle je m'étais laissé contaminer. Il s'en est fallu de peu pour que je sombre tout à fait. À force de me laisser porter par la vague qui balaie aujourd'hui toutes les valeurs morales auxquelles nous étions attachés, je me suis délesté de tout ce qui pouvait donner sens à ma vie. Et il a suffi d'une phrase décochée comme une flèche. Ces mots qu'elle a prononcés avant de refermer la porte et de s'en aller. Je ne te reconnais plus depuis que tu t'es mis à ressembler à ton père. La secousse a été salutaire. J'ai failli la perdre. Et, la perdant, je me serais perdu.

Elle

Admettons que je décide de me séparer d'Ali.

Admettons que je décide de partir. D'aller… d'aller où ? De descendre les soixante-dix-huit marches qui séparent notre appartement de celui où continue à vivre ma mère avec Amine, le seul fils qui soit resté auprès d'elle maintenant que Samir a réussi à quitter le pays ? Mon retour à la maison ne devrait donc pas poser de problèmes, du moins sur ce plan-là. Il y a de la place pour moi.

Admettons que je les descende, ces marches, que je frappe à la porte et que je dise à Maman : je reviens à la maison. Que ferait-elle ? Que dirait-elle ? Elle m'ouvrirait la porte, bien sûr. Puis elle me ferait asseoir. Elle prendrait Alya dans ses bras et commencerait sans tarder à me poser les questions qu'on pose dans ces cas-là. Que se passe-t-il ? Ou bien : que s'est-il passé ? C'est ta belle-mère ? Je devrais lui répondre. Lui mentir peut-être. Lui raconter que je suis brimée, battue, exploitée et pourquoi pas, trompée. Ce sont les seules raisons qui seraient à ses yeux assez valables pour motiver une décision aussi grave. Et encore ! Mais elle a tellement vu défiler chez elle de vraies souffrances, elle a tellement entendu d'histoires sur la dureté, la violence, et parfois

213

même la cruauté de certains maris, qu'elle n'en croirait pas un mot. De plus, elle connaît bien Ali et sait qu'il serait incapable de tels actes.

Admettons que je lui raconte la vérité. Que je lui dise que je ne supporte plus ma vie, que je n'en peux plus du silence qui s'est installé entre nous, que l'homme avec qui je vis n'a plus rien de commun avec celui que j'ai aimé.

Admettons qu'elle m'écoute jusqu'à la fin. Ce qui est peu probable. Elle se lèverait d'un bond et, aussi raide que la justice, me couperait d'un bref et définitif : tu es folle. Elle pourrait ajouter, pour enfoncer le clou : au lieu de remercier Dieu de la chance que tu as ! Je crois même qu'elle irait jusqu'à énumérer les qualités indéniables d'un époux qui ne manque à aucun de ses devoirs, qui se tue au travail pour pouvoir améliorer sa vie et celle de sa famille. Gentil, sérieux, poli, serviable, attentionné envers sa mère, sa belle-mère, ses beaux-frères, jamais un mot plus haut que l'autre. Et pour finir, elle glisserait l'argument imparable : et que diraient les voisins ?

Si j'objecte que cela m'est égal, que c'est bien le dernier de mes soucis, et qu'elle voit qu'elle n'a pas réussi à m'ébranler, elle pourrait changer de tactique. Elle dirait alors qu'elle se doutait que quelque chose n'allait pas, qu'elle avait remarqué que j'avais l'air soucieux, fatigué, et qu'elle avait même pensé que je devais être enceinte, mais n'avait pas osé m'en parler. Elle me demanderait de rester à la maison le temps de me reposer, de réfléchir. Elle me parlerait comme on parle à un enfant malade. Avec la même inquiétude. La même douceur. Elle me demanderait : veux-tu t'allonger, là, sur le canapé ? Veux-tu un café ? Elle prendrait Alya par la main et l'entraînerait avec elle dans la cuisine. Le temps de planifier les actions à entreprendre sans tarder pour prendre en mains la situation.

Puis elle attendrait que je me détende tout à fait pour aller téléphoner à Mohamed, le grand frère. Persuadée que son intervention pourrait me ramener à la raison.

Admettons maintenant que je choisisse la deuxième option. La plus radicale. Faire mes valises et celles d'Alya. Quitter l'appartement, l'immeuble, le quartier et m'en aller à l'aventure. Sans prévenir personne. Sans ressources. Sans lieu où me poser.

Peut-être trouverais-je refuge dans une de ces pensions réservées aux femmes seules, comme il en existait pour les jeunes étudiantes et travailleuses au temps où j'étais moi-même étudiante. Mais je ne sais même pas si de tels lieux existent encore. Il aurait fallu préparer ce départ, se renseigner, mettre de l'argent de côté, au moins pour assurer la subsistance des premiers jours.

Et après ?

Allons plus loin encore. Il faudra agir. Demander le divorce, éventuellement. Tout en sachant que, depuis la toute récente adoption du code de la famille, il est pratiquement impossible à une femme de demander et d'obtenir le divorce. Sauf pour quelques raisons très précises, énumérées dans l'article 53. J'en connais toutes les dispositions. Je me souviens de ma révolte lorsque ce code a été rendu public. Des cris que j'ai poussés, devant Ali, en prenant connaissance des différents chapitres, tous ou presque consacrés à la mise sous tutelle légale et définitive des femmes. Mais je me souviens aussi que je n'ai pas songé un seul moment à me joindre aux manifestations organisées par des citoyennes de tous âges et de tous bords, qui tentaient, dans l'indifférence générale, d'empêcher son adoption par l'Assemblée. Je me souviens encore des mots employés pour qualifier ces femmes et des moyens employés pour les neutraliser. Et surtout je me souviens d'avoir pensé fugitivement que cela ne me concernait pas vraiment, que je n'aurais jamais à recourir à la justice pour régler mes problèmes.

Voyons maintenant quelles raisons sérieuses j'aurais à exposer. Dire que ma vie ne correspond en rien à celle dont je rêvais ? Dire que je me sens flouée ? Délaissée ? Trahie par un homme qui n'a ni maîtresse ni seconde épouse ? Mais n'importe qui est en droit de me répondre qu'on ne bâtit pas une vie sur des rêves. Que le sentiment d'être délaissée n'a rien à voir avec un véritable abandon. Que seule compte la souffrance bien visible de ces milliers de femmes qui se retrouvent à la rue et sans ressources, du fait de leur exclusion tout à fait légitime, puisque prévue par la loi, du domicile conjugal.

Alors, dans un murmure, je pourrais tout d'abord invoquer le désamour. Voulant ainsi définir cette lente érosion des sentiments qui ronge les certitudes les plus vives, dessine en creux des entailles de plus en plus profondes dans l'écoulement des jours et parvient peu à peu à entamer le bleu du ciel, la lumière du soleil.

Je pourrais suggérer qu'il peut être parfois insupportable de remiser une à une ses illusions, de les enfermer dans des bocaux de verre qui aux yeux des autres auront toute l'apparence de bocaux vides, et de ne plus avoir la force de se regarder dans un miroir de peur d'y surprendre un reflet dans lequel on ne se reconnaîtrait pas.

Mais voyons, voyons, soyez plus précise ! De quoi vous plaignez-vous ?

Bon. Il me faut d'abord dire, à la décharge de mon époux, qu'il n'est pas seul en cause. Voyez-vous, c'est tout ce qui aujourd'hui, et depuis bon nombre d'années, m'oppresse. Un malaise, un mal-être, une mal-vie, une mal-aimance, rien, voyez-vous, rien de palpable, rien de concret. Il faudrait peut-être remonter à l'enfance, quand, avant même de m'endormir, je me berçais de rêves.

Et pourtant, c'était déjà là.

Les barrières étaient dressées, les chemins tracés et les divagations interdites. Par lâcheté, par commodité, par facilité, je les ai suivis, ces chemins. J'ai fait tout ce qu'on attendait de moi. Avec quelques écarts bien vite oubliés. Et surtout avec le sentiment que, si je devais comparer ma vie à celle, passée et présente, de bien des femmes, je pouvais m'estimer heureuse. Je pouvais clamer que moi, j'avais pu décider librement, lucidement. Aux moments où il fallait choisir, je l'ai pu. J'ai eu cette chance, encore rare, de choisir mes études, de choisir un mari, de choisir le moment d'avoir un enfant – et un seul –, de choisir de travailler puis de m'arrêter parce que mon salaire n'était pas une nécessité vitale. Combien de femmes, ici et maintenant, pourraient en dire autant ?

Admettons enfin que je me rende à ces arguments, que je prenne enfin conscience de mon statut privilégié. Que je renonce à ce comportement incompréhensible pour toute personne sensée. Que je rentre dans le rang. Que je jette au vent ces désirs d'un bonheur fait de tout petits riens qui peuvent tout changer, désirs incompatibles avec la réalité qui est la nôtre. Que je me tourne vers les autres, au lieu de m'apitoyer sur un sort somme toute enviable. Que j'étouffe cette voix séditieuse qui me souffle de tout plaquer, de tout recommencer. Que je cesse de me demander chaque matin comment faire

217

une brèche dans ce monde qui se referme au seuil du jour, comme un énorme crapaud aux yeux glauques et qui à peine sorti d'un marécage n'a d'autre désir que de s'y plonger à nouveau.

Ali est rentré. J'ai entendu un bruit de clés dans la serrure. Puis ses pas. Alya est endormie là, dans son lit tout près du nôtre.

Je ne bouge pas. Yemma s'empresse. Bruit de voix. Ils sont dans la cuisine.

Il pousse la porte de la chambre, dépose sa veste sur le lit.

Bonsoir. Pas encore couchée ?

Que répondre ? Il n'attend pas de réponse.

Je suis assise sur le rebord du lit. Je n'ai pas de livre dans les mains. Je crois qu'il ne m'a même pas regardée.

Il va dans la salle de bains. Bruit d'eau. Il retourne dans la cuisine.

Je n'ai pas besoin d'être avec eux pour savoir ce qui se passe à côté. Yemma réchauffe le dîner. L'assiette, les couverts et le pain sont déjà prêts, sur un plateau. Il s'installe dans le salon. S'assoit sur le canapé, en face du téléviseur. Yemma dépose le plateau sur la table basse. Il allume la télévision. Dernières informations du soir. Voix du journaliste égrenant les réunions et les visites des ministres sur les chantiers.

Je n'ai toujours pas bougé. Je ne le rejoins pas. Il ne s'en inquiète pas. Il échange quelques mots avec sa mère assise près de lui. Elle attend qu'il ait fini pour débarrasser le plateau. Il regarde encore un moment la télévision. Il doit être sur le point de s'assoupir sur le canapé, tout habillé. Sa mère s'est peut-être levée et l'a légèrement secoué pour qu'il ne s'endorme pas tout à fait. Il se lève alors, embrasse sa mère sur le front, lui souhaite une bonne nuit et vient à moi.

Il referme doucement la porte, pour ne pas réveiller Alya. À son air un peu trop désinvolte, à la façon dont il se détourne pour déboutonner sa chemise, je sais qu'il attend les paroles que je vais sans doute prononcer. Mais je ne dis rien. Le silence se prolonge. Il se penche sur Alya. Ramène le drap sur elle et effleure son visage dans une brève caresse.

Et puis, à voix basse, c'est lui qui commence.

Je sais, je sais. On ne se voit plus. On ne se parle plus. Je suis toujours absent. Je ne vois presque plus ma fille. Le tribunal. Le chantier. Les affaires. C'est ça, c'est bien ça ?

Il débite ces phrases sur un ton las, comme on répète une leçon maintes fois entendue et qu'on a fini par apprendre.

Nous sommes assis dos à dos, chacun d'un côté du lit. Il délace maintenant ses chaussures. Je me retourne. Je remarque pour la première fois quelques fils argentés dans ses cheveux.

C'est moi, dis-je. C'est moi qui ne vais pas bien. J'ai besoin de partir. De m'éloigner de tout ça… de respirer un peu. Quelques jours au plus. Demain, je télépho-nerai à Mohamed. Je vais lui demander de venir nous chercher, Alya et moi. Je vais passer ces quelques jours chez lui. Et… plus tard, on verra.

Il reste silencieux un long moment.

Puis ces mots : comme tu voudras. Il ajoute tout de suite : ce n'est pas la peine de le déranger, je peux vous accompagner, je n'ai pas audience demain.

Je ne réponds pas.

Il se lève, ouvre la fenêtre, allume une cigarette et contemple longuement la nuit silencieuse.

C'est au bout de cette longue nuit silencieuse que je suis partie. C'est mon frère qui est venu me chercher. Ali l'a reçu comme si de rien n'était. C'est lui-même qui a descendu nos bagages et les a mis dans le coffre de la voiture. Il a embrassé Alya qui trépignait de joie à la perspective d'aller passer quelques jours avec ses cousins et cousines au bord de la mer. Puis il s'est penché vers moi, le bras sur la portière que je n'avais pas refermée.

Je lui ai simplement dit, en guise d'au revoir, ces mots longtemps tournés et retournés dans ma tête : je ne te reconnais plus depuis que tu t'es mis à ressembler à ton père.

Lui

Les enfants que je croise dans les escaliers chaque matin en allant accompagner Alya à l'école, sont tous remarquablement bien vêtus. Chaudement en hiver, plus légèrement à la belle saison, mais toujours très proprement. Garçons et filles portent le tablier obligatoire dans toutes les écoles et au collège. Pourtant, beaucoup de familles qui habitent dans l'immeuble vivent modestement. Mais, pour tout le monde ici, l'habillement des enfants et l'achat des fournitures à chaque rentrée scolaire font partie des priorités, quelles que soient les conditions de vie.

Dès sept heures du matin, leur cartable à la main, accompagnés de leur mère ou plus rarement de leur père, mais le plus souvent seuls, des enfants de tous âges sortent des appartements, les uns après les autres. Les portes claquent. On s'interpelle, on se salue, on s'attend pour faire le chemin ensemble. Ils sont nombreux, très nombreux, et très bruyants. Ils dévalent les marches en courant comme s'ils étaient pressés d'arriver à l'école. En sortant de chaque immeuble, de chaque maison, ils envahissent la rue et s'égaillent en bandes joyeuses et colorées. Comme la double vacation des locaux a été instaurée dans chaque école en raison du sureffectif, des enfants se croisent dans la rue à toute heure. Quand les uns rentrent chez eux, les autres prennent le chemin inverse et les remplacent sur les mêmes bancs. Tous les enfants vont à l'école. Chaque fois que, tenant Alya par la main, je prends le même chemin qu'eux, je me souviens de la phrase inscrite sur une banderole suspendue à l'entrée de notre collège, au-dessous du drapeau, lors de la première rentrée scolaire après l'Indépendance : « L'école pour tous, et tous à l'école. » J'ai retrouvé dernièrement une de mes photos de classe datant du temps où j'étais en primaire. Ma mère l'a gardée dans une petite valise en carton et l'en a retirée pour la montrer à Alya. On y voit, en compagnie de notre instituteur en blouse grise, monsieur Francastel, les élèves alignés sur deux rangs, figés devant l'objectif. Les plus petits devant. Une ardoise portée par l'un d'entre nous, le meilleur élève sans doute, mentionne, dans une écriture soignée, la classe et l'année scolaire. École mixte de garçons, appellation réservée aux écoles autres que les écoles indigènes. Cours élémentaire deuxième année. Année scolaire 1958-1959. Dans notre village, il n'y avait qu'une seule école de garçons. Et une école de filles, mitoyenne à la nôtre. Sur la photo, Arabes et Français se côtoient. En proportions inégales. Nous étions neuf Arabes à aller plus ou moins régulièrement en classe. Les Français étaient au nombre de vingt-trois. Immédiatement reconnaissables. Pas seulement à leur type européen. À leurs vêtements surtout. La différence saute aux yeux tant elle est criante. Reconnaissables aussi à leur façon de fixer l'objectif. Une sorte d'assurance, de naturel qui contraste avec les attitudes guindées et les sourcils froncés de mes coreligionnaires. Des coreligionnaires dont bien peu ont réussi à franchir le cap de l'entrée en sixième. La plupart n'ont même pas passé leur certificat d'études, orientation la plus fréquente pour les indigènes que nous étions et qui représentait pour les familles une promotion considérable. Je me souviens aussi qu'aucun enfant des douars environnants, enclavés, ne fréquentait l'école. Isolement, éloignement, ignorance, misère et surtout indifférence des parents, mais aussi des autorités coloniales qui ne faisaient rien pour répandre ou encourager l'instruction laïque et obligatoire selon les lois de la République française, en vigueur sur tous les territoires français. Et cela donne aujourd'hui un taux considérable d'illettrés, et plus particulièrement de femmes totalement analphabètes. Car il était bien entendu hors de question, dans toutes les zones rurales, d'envoyer les filles à l'école. La misère n'était pas seule en cause. Ma mère fait partie de cette catégorie. Et avec elle la plupart des femmes de son âge. Elle a tout de même appris, grâce à la mère de Lilas, à signer de son nom les documents qui la concernent. Écriture tremblée, malhabile, et qui m'émeut profondément, comme m'émeuvent les pages d'écriture que rapporte Alya de l'école et qu'elle exhibe fièrement pour nous donner à constater ses progrès. Alya sait déjà reconnaître les lettres, et déchiffre même quelques mots. En arabe bien sûr. Depuis l'application de la réforme instituant l'école fondamentale, l'apprentissage du français ne commence qu'en quatrième année de primaire. Il y a quelques années, juste après l'Indépendance, les enfants qui entraient à l'école apprenaient les deux langues dès la première année. Et à ce propos, la mère de Lilas m'a raconté qu'à cette époque-là, les parents se plaignaient des difficultés qu'avaient leurs enfants dans leur apprentissage, parce que le matin, en cours d'arabe, on leur demandait d'écrire de droite à gauche et le soir, pour l'apprentissage du français, ils devaient écrire de gauche à droite. Beaucoup d'enfants ne s'y retrouvaient plus! Alya a, elle aussi, été désorientée les premiers jours. Pas pour les mêmes raisons. L'arabe que parle la maîtresse d'école n'est pas tout à fait le même que celui qu'elle connaît et parle couramment. Les mots pour dire les choses les plus usuelles sont tout autres que ceux qu'on emploie quotidiennement. Il a fallu lui expliquer pourquoi. Lui expliquer la différence entre langage parlé et langue écrite. Mais alors, a-t-elle rétorqué du haut de ses six ans, cet arabe-là, celui qu'on apprend à l'école, c'est seulement pour l'école, on ne peut pas le parler à la maison? Lilas et moi avons dû nous y prendre autrement. Sans pour autant la convaincre, malgré nos efforts conjugués. Comment expliquer à une enfant le métissage, le brassage et l'interpénétration des langues dans un pays qui a subi autant d'occupations étrangères que le nôtre? Il aurait fallu pour cela examiner avec elle l'origine des centaines de mots qui sont aujourd'hui totalement intégrés dans le corps de cette langue dite dialectale, la langue du peuple, objet de mépris et de rejet de la part de ceux qui prônent, avec une véhémence de plus en plus grande, le retour aux seules sources de la personnalité, de l'identité algérienne : l'arabité et l'islam, à l'exclusion de tout autre composante. Ceux-là sont de plus en plus nombreux, de plus en plus visibles. Et parce qu'ils se sentent totalement soutenus par les lois qui se succèdent sur la généralisation de l'arabisation, il arrive qu'ils se fassent menaçants. J'ai même été traité de renégat par l'un de mes jeunes confrères, parce que je m'insurgeais contre l'obligation de plaider en arabe classique sur injonction d'un juge arabophone qui ne supportait pas mon intervention dans une langue qu'il a qualifiée d'arabe francisé. Il est vrai qu'il m'arrive souvent, comme bon nombre de confrères de mon âge et qui ont eu le même parcours universitaire que le mien, de commencer mes plaidoiries par les formules convenues en arabe, mais de les terminer en français, seule langue dans laquelle il m'est possible d'exposer clairement les faits et de me référer à la loi. Le magistrat m'a menacé de poursuites pour outrage parce que j'ai aussitôt répondu que je n'étais pas directement impliqué dans l'histoire de l'Algérie, et que je n'étais pour rien dans la colonisation française. Tout se passe aujourd'hui comme si nous devions payer le prix de cette colonisation dont nous représentons, bien malgré nous, une séquelle. Quand je suis entré à l'école, l'arabe y était totalement prohibé. Aucun des instituteurs que j'ai eus, tous d'origine euro-péenne comme on disait avant, n'en connaissait le moindre mot, mis à part ceux qui sont passés dans l'usage courant et se sont installés dans les dictionnaires français. Fissa, maboul, smala, chouïa, yaouled, et d'autres du même acabit, mots qui en disent long sur la teneur de la communication qui s'était établie. Nos maîtres étaient pourtant tous nés dans le pays et côtoyaient depuis toujours cette autre catégorie de la population, très proche mais souvent tenue à l'écart. Moi-même je n'ai commencé à apprendre à lire et à écrire l'arabe qu'au moment de mon admission au collège, juste après l'Indépendance. Avec des professeurs égyptiens inénar-rables, qui passaient eux aussi leur temps à nous repro-cher, dans des diatribes que nous laissions filer au-dessus de nos têtes, d'avoir un esprit et des comportements incompatibles avec notre culture arabo-musulmane. Le tout agrémenté de prêches dont je retrouve la substance et la violence un peu partout autour de moi aujourd'hui. Je me souviens plus particulièrement de l'un d'entre eux, un professeur de littérature que nous avions surnommé Abou d'souffle, parce qu'il arrivait toujours en cours suant et soufflant à cause de sa corpulence. Il avait, dès la première heure, exigé que nous commencions nos devoirs par la formule sacrée: «Au nom de Dieu, Miséricordieux et Tout-Puissant», qu'il écrivait lui-même en haut du tableau avant d'entamer chacun de ses cours. Jusqu'au jour où l'un d'entre nous, qui avait médité son coup, s'était levé et lui avait exposé d'un ton très sérieux, pendant que toute la classe se retenait pour ne pas exploser de rire, que cette exigence était une hérésie, un acte sacrilège, parce que, de toute façon, les copies finiraient dans une poubelle. Il en était resté muet. Nous n'avons pas retenu grand-chose de la littérature et de la poésie arabes. À cette époque-là, bien que la visite de leur président, Gamal Abdel Nasser, allié inconditionnel de la Révolution algérienne, ait été célébrée comme un événement grandiose par une foule innombrable massée dans les rues pour l'acclamer, nous ne prenions pas au sérieux ces coopérants venus du Moyen-Orient avec une mission sacrée: nous faire réintégrer le bercail de la *Oumma Islamya*, la communauté des fidèles, au sein de la grande nation arabe. Nous avions d'autres préoccupations. Les filles. Le football. La musique. Mais aussi, très tôt, la politique, omniprésente dans chaque instant de notre vie avec les slogans qui fleurissaient au coin de chaque rue et au fronton de chaque édifice, et les discours qui nous confortaient dans notre exaltation d'adolescents résolument engagés dans la voie de la modernité et du développement, persuadés que nous étions alors de porter le flambeau des peuples en lutte et de révolutionner le monde. Aujourd'hui, au bout de quelques semaines d'école, Alya a déjà appris les premiers versets du Coran. Avant même d'apprendre à lire. Des versets que l'institutrice ne se donne même pas la peine d'expliquer aux élèves. Elle les récite à sa grand-mère qui, elle, n'en connaît que ce qui lui est nécessaire pour faire la prière. Alya est ravie d'en imposer ainsi à son aïeule, mais elle préfère de loin les contes que celle-ci a retrouvés pour elle dans un coin de sa mémoire, ces histoires peuplées de personnages fabuleux, ogres, fées et sorcières, qui lui permettent chaque soir d'entrer dans un monde merveilleux, juste avant qu'elle ne s'endorme.

Plus nous avançons, plus nos rêves s'éloignent. Ainsi la maison que nous aurions dû occuper, depuis un an déjà, n'est encore qu'une carcasse ouverte aux vents, un chantier quasiment abandonné. Pénurie de matériaux de construction, pénurie de bras, tracasseries quotidiennes pour le moindre détail, vols répétés des rares matériaux entreposés, ont eu raison de la ténacité d'Ali. Les entrepreneurs se sont succédé sans pour autant faire avancer les travaux. Et les ouvriers préfèrent se faire embaucher par des entreprises d'État, souvent peu regardantes sur le rendement horaire. Avec un salaire assuré à la fin de chaque mois. Ne disposant pas d'un don d'ubiquité indispensable pour être en même temps dans tous les chantiers sur lesquels ils se font engager, les maçons payés à la journée ne font que de très rares apparitions sur le nôtre, dans une présence peu productive. Il faudrait être sur le chantier tous les jours et à toute heure pour pouvoir les surveiller. Ali ne peut pas y consacrer tout son temps. Il n'en a même plus envie. C'est beaucoup d'énergie et d'argent engloutis dans un projet qui nous tenait à cœur. Nous en sommes aujourd'hui à vouloir nous débarrasser de cette carcasse et à chercher un appartement plus grand que le nôtre, ou éventuellement une petite maison. Mais les prix sont prohibitifs, et les offres de location très rares, les propriétaires préférant laisser leurs biens vacants plutôt que les louer à des familles qui, profitant des dispositions juridiques en la matière, n'en sortiront jamais et, le plus souvent, ne paieront pas les loyers. On dit qu'à Alger, plus de la moitié des logements du centre-ville sont inoccupés pour cette raison. On dit aussi que, dans le cadre de la cession des biens de l'État, les appartements les plus beaux et les plus grands ainsi que certaines maisons de la capitale ont été vendus pour des sommes dérisoires aux apparatchiks du régime, après avoir été estimés bien en deçà de leur valeur par une commission spécialement créée pour faciliter ces transactions et leur donner un vernis de légalité. Ali pense que c'est ce qui s'est passé pour la maison dans laquelle vivait son père. Une maison somptueuse. On murmure même que certains n'ont eu à débourser qu'un dinar symbolique pour ces acquisitions. De même pour un des domaines agricoles autogérés situés sur la côte ouest. Le domaine Bouchaoui, autrefois propriété du plus célèbre et du plus nanti des colons de la région, Lucien Borgeaud. La rumeur prétend qu'il aurait été divisé en parcelles, toutes destinées à combler les rêves de grandeur de certains hauts responsables. Triste symbole ! Triste retournement de l'histoire ! Mais je me demande quelle foi accorder à ces histoires qui de temps à autre surgissent d'on ne sait où, se colportent, se répandent comme traînées de poudre, finissent par provoquer des réactions en chaîne et pourraient allumer des feux. De plus, comme personne n'accorde de crédit aux informations officielles véhiculées par la presse, les emballements sont rapides et immédiats. N'a-t-on pas déjà vu de violents mouvements de révolte nés d'une simple rumeur et qui s'amplifient à mesure qu'elle se propage? Les rares démentis sont même interprétés a contrario comme des confirmations, voire des moyens détournés d'alerter la population. Ainsi, il y a quelques années, la rumeur d'un proche raz-de-marée qui allait dévaster les côtes algériennes, et plus particulièrement la capitale, a fait l'effet d'un… raz-de-marée dans les magasins de l'État et dans les épiceries prises d'assaut par des milliers de citoyens soucieux de stocker les produits de première nécessité déjà peu disponibles sur les marchés. Yemma et Maman n'ont pas été les dernières à se ruer chez le Mozabite pour s'approvisionner en semoule, farine, huile et levure, sans oublier les indispensables bougies, allumettes, et les bouteilles de butane. Grâce à quoi nous n'avons pas acheté de pain chez le boulanger pendant plusieurs semaines.

La perspective d'un raz-de-marée, d'un ouragan, d'un bouleversement quelconque qui nous aurait obligés, si nous en avions réchappé, à tout changer dans notre vie, m'a semblé un moment représenter une solution extrême, mais presque souhaitable. C'est peut-être parce que j'ai rencontré, juste après le tremblement de terre du 10 octobre 1980 qui a ravagé El Asnam, des hommes et des femmes qui, sortis indemnes, racontaient que, contre toute attente, cette catastrophe avait eu des conséquences positives sur leur vie. Que cela leur avait permis de repartir à zéro et surtout de relativiser, de prendre du recul par rapport à ce qui leur semblait auparavant essentiel.

Je sais aussi que, quand on n'a pas suffisamment de ressources en soi pour affronter une situation ou pour prendre des décisions, on en arrive à souhaiter une intervention extérieure pour provoquer un effet à la fois redouté et attendu. C'est le propre des personnes très fragiles ou atteintes de sérieux troubles mentaux, que de déplacer le mode de résolution de leurs conflits sur un objet extérieur et étranger. Et par là même se décharger de toute culpabilité. Un aveu d'impuissance mal vécu et très souvent refoulé dans l'inconscient.

Je me rends compte aujourd'hui que je devais être très proche de la dépression pour envisager sous cet angle une catastrophe qui aurait pu faire un grand nombre de victimes, et beaucoup de dégâts. Cela n'a rien à voir avec le fait d'appeler de ses vœux une panne générale d'électricité pour échapper à un examen, ou encore un événement quelconque dont on pourrait dire qu'il tombe à pic pour nous tirer d'un mauvais pas.

J'en ai beaucoup discuté avec Mohamed pendant mon séjour chez lui. C'était la première fois. La première fois que nous avions de telles discussions. Je n'ai jamais été très proche de mes frères. Samir était le seul qui acceptait de m'écouter, et parfois de partager mes jeux. Mais il a été très vite happé par ses «obligations» de garçon. Des obligations auxquelles il se pliait sans toutefois parvenir à s'intégrer totalement à un milieu dont il ne partageait pas le goût pour la brutalité et la grossiè-reté. Et il a trouvé refuge dans la musique. Ma mère était souvent obligée de lui demander de sortir, d'aller jouer avec ses camarades au lieu de rester avec nous dans la maison presque toujours investie par des femmes. La différence et la souffrance étaient déjà inscrites en lui. Et personne d'entre nous n'a rien vu. Personne n'aurait jamais pu imaginer qu'il n'était pas tout à fait «comme les autres». J'en parle parce que je sais aujour-d'hui pourquoi il est parti. Pourquoi il lui était impossible de confier son tourment à quiconque. Tourment causé par la pire des choses qui puisse arriver dans une société aussi radicale dans ses rejets et ses interdits que la nôtre. Une société qui nie, condamne et réprime farouchement toute différence, toute déviance. Je sais maintenant pourquoi il vivait dans la terreur de se voir mis à l'index. Pourquoi chaque allusion, chaque regard, chaque mot, le plongeaient dans des abîmes de désespoir. Je le sais parce que j'ai lu la lettre qu'il a adressée avant de partir à Mohamed qui ne m'en avait jamais parlé auparavant. Je mesure seulement maintenant la profondeur de sa détresse. Je sais qu'il a longtemps et désespérément lutté contre ce que lui-même considère comme une «atteinte pathologique». Ce sont ses termes. Et pourtant, ils sont nombreux ceux qui vivent dans et avec cette particularité, innommable en arabe, sauf en termes grossiers et insultants. J'ai reçu plusieurs d'entre eux en consultation, qui tous avaient la même réaction. Celle de vivre leur homosexualité comme une véritable tragédie. Une tragédie qui conduit certains au suicide. Les autres, plus nombreux sans aucun doute, se contentent de cultiver le secret et la discrétion. Nombreux aussi ceux qui mènent une double vie, toujours dans le silence et la préservation des apparences. Je me demande maintenant comment j'ai pu être aussi aveugle. Sans doute parce que je n'étais préoccupée que de moi-même. Pour moi, mes frères formaient un tout indissociable dont j'enviais la solidité, et surtout l'évidente liberté. J'ai toujours pensé qu'ils vivaient dans un monde qui n'était pas le mien. Un monde d'hommes, différent, inaccessible, avec ses codes particuliers, ses privilèges flagrants. Ils avaient tous les droits. Des droits et des privilèges qui m'étaient refusés. Et sans même m'en rendre compte, je leur en ai toujours voulu. Je n'en avais réellement pris conscience que le jour où ma mère a remis à Amine et à Samir les clés de l'appartement. Des clés qu'elle avait fait reproduire à leur intention. Leur donnant ainsi implicitement l'autorisation d'entrer et de sortir quand ils le désiraient. Je n'ai jamais eu droit à cet égard. Ce qui signifiait, tout aussi implicitement, que je n'avais pas, que je n'aurais jamais la même liberté.

Quand je lui en ai fait la remarque, Maman m'a répondu que je n'en avais nul besoin. J'en ai été profondément ulcérée, sans penser un seul instant que c'était une façon de me dire qu'elle serait toujours là à m'attendre. En faisant porter aux autres le poids de toutes les contraintes subies et de tous mes renoncements, je croyais pouvoir me garder intacte.

C'est un peu tout cela qu'il m'a fallu prendre le temps de démêler. Pour sortir de l'engrenage. Agir. Prendre des décisions. Ne plus me réfugier dans la stérile remémoration des instants passés et le ressassement des espoirs déçus.

Est-ce la proximité de la mer ? Est-ce la patiente sollicitude de Mohamed et d'Amina, sa femme ? Est-ce le choc des révélations faites au sujet de Samir, qui m'ont permis de mesurer à quel point je m'étais fermée aux autres ? Est-ce la discrétion d'Ali, qui a attendu que je l'appelle un soir pour venir nous voir ? Je ne sais ce qui m'a apaisée. J'ai enfin compris que, dans la pesanteur des jours, dans l'écoulement d'une vie, les attentes ne peuvent jamais être comblées. Et qu'il faut savoir, sans amertume, sans rancune, se délester de l'insoutenable légèreté des rêves.

Ali est arrivé dans le soir finissant. Nous étions encore au bord de l'eau. J'attendais ses premiers mots. Il s'est arrêté à quelques mètres de l'endroit où nous étions assis. Il a ouvert les bras et Alya est venue s'y jeter. Elle s'est assise entre nous deux. Elle nous regardait, tour à tour. Comme si elle attendait, elle aussi. Nous n'avons parlé que de la chaleur, de la couleur du ciel dans les dernières lueurs du jour.

C'est plus tard, bien plus tard que nous nous sommes retrouvés. Il est venu à moi, tremblant de désir, comme au premier jour.

Au cœur de la nuit, les mots n'avaient plus d'importance.

Et de nouveau j'ai regardé le ciel. J'ai laissé entrer en moi le soleil, J'ai puisé des forces dans le bonheur évident d'Alya, dans ses bras tendus vers moi pour m'inciter à la rejoindre dans l'eau, dans la vision de son corps doré et poudré de sel, dans la douceur des soirs d'été passés sur la terrasse à écouter la rumeur toute proche de la mer, et surtout dans les yeux d'Ali nous regardant courir sur la plage. J'ai fait provision de lumière et de légèreté pour les jours à venir. J'ai renoué avec la vie.

Illusoires réconciliations peut-être, mais qu'importe !

Pourquoi vouloir aller chercher des rêves ailleurs que dans la nuit ?

Lui

Six heures du matin. Opération coup de poing. Tous unis et résolus à lutter contre l'ennemi implacable qui ronge la ville entière, et plus encore, le pays tout entier, et qui, à force d'avoir été ignoré, gagne du terrain, empoisonne peu à peu les vies, et s'installe en maître absolu des lieux. Nous, représentants des familles habitant l'immeuble, réunis un soir de printemps dans l'appartement numéro quatre, bâtiment B, deuxième étage, avons solennellement décrété l'état d'urgence. Avons examiné les moyens à mettre en œuvre pour venir à bout de ce mal qui fait chaque jour des victimes et instaure un climat néfaste pour tous. Nous avons désigné des responsables chargés de dresser l'état des lieux et leur avons demandé un rapport circonstancié. Nous avons procédé à l'estimation des besoins et à l'inventaire de nos capacités humaines, et matérielles, pour y faire face. Nous avons pris l'engagement de cibler les objectifs prioritaires dans un premier temps. Puis de poursuivre notre action jusqu'à l'éradication totale du fléau. Dans un second temps, et sur proposition de monsieur Hamdane C., locataire de l'appartement quarante-deux, douzième étage, bâtiment A et fonctionnaire au ministère de la Santé et de la

Population, des campagnes de sensibilisation seront menées par les voies et moyens habituels. D'abord à l'intérieur de l'immeuble et, pourquoi pas, dans tout le quartier, pour pousser les locataires des immeubles avoisinants à réagir, eux aussi. La date de lancement de l'offensive générale a été arrêtée, et un appel a été lancé aux autorités compétentes pour un soutien logistique. Appel appuyé par monsieur Mohamed B., locataire de l'appartement dix-sept, cinquième étage, bâtiment A, employé aux services d'assainissement de la mairie, et donc particulièrement bien placé pour obtenir ce soutien. Et c'est parti.

Vendredi, six heures du matin. Début de l'opération nettoyage et réfection de l'immeuble et de ses abords. En vérité, l'opération avait été imaginée par les femmes. Mais au vu de l'ampleur de la tâche et des moyens à mobiliser, celles-ci ont délégué l'organisation de cette vaste campagne à leurs conjoints, fils et tuteurs légaux, selon la formule consacrée. C'est ainsi qu'est né le projet. Aucune femme, bien entendu, n'a été conviée aux réunions préparatoires et à l'élaboration de la stratégie. Dans de pareils cas, il y va de l'honneur des hommes ! Mais les tâches ont été naturellement réparties en fonction des attributions dévolues à chaque sexe. Les hommes se sont chargés de l'approvisionnement en matériaux tels que seaux de peinture, outils divers, ampoules et fils électriques, ciment et plâtre. Les femmes, elles, ont préparé seaux, balais, frottoirs, serpillières et poudre de lessive. L'APC a fourni une citerne d'eau et un camion de la voirie pour l'enlèvement des détritus. Les enfants, quant à eux, se sont vu confier des travaux d'assistance tels que le grattage des centaines de marches pour y décoller les centaines de bouts de chewing-gum qui y sont incrustés et le transport des seaux d'eau jusqu'aux étages supérieurs. La journée a été rude. L'absence de syndic, de concierge, d'entretien des espaces communs par l'office public de gestion immobilière qui perçoit les loyers, l'absence d'entente entre les locataires alors que tous les appartements sont d'une propreté remarquable, briqués à fond chaque jour par des ménagères très exigeantes, tout cela additionné avait provoqué une situation intolérable. Nous n'avions cependant pas prévu qu'une seule journée ne suffirait pas pour venir à bout de plusieurs années de laisser-aller et de dégradations. Il a fallu d'abord sortir tous les détritus amoncelés depuis des temps immémoriaux dans les cours intérieures. Puis gratter des pans entiers de murs chargés de graffitis dans les cages d'escalier, effacer ainsi sans état d'âme des dizaines de déclarations d'amour et de guerre, des dizaines de représentations plus ou moins réussies d'appareils génitaux masculins et féminins, mais aussi des dizaines d'inscriptions mentionnant les destinations de rêve des jeunes, de Paris à New York, en passant par Londres et l'Australie. Procéder ensuite à la mise en place de nouvelles boîtes aux lettres, au remplacement de toutes les ampoules et au replâtrage des murs. Et pendant ce temps-là, les femmes, armées de leurs balais, de leurs brosses et de leurs seaux, frottaient et essuyaient, tout en houspillant les enfants qui se glissaient partout. Une ambiance très cordiale malgré les remarques acerbes de quelques-uns sur l'incurie des autorités, la démission des parents, et quelques prises de bec nées d'insinuations perfides sur les responsables de cet état de fait – à savoir les enfants, ceux des autres naturellement ! Cela m'a fait penser aux campagnes de volontariat auxquelles nous avons participé lorsque nous étions étudiants, forts de toute l'exaltation révolutionnaire qu'on nous avait inoculée depuis tout-petits. Nous étions chargés, nous, enfants des villes, étudiants des grandes universités, futures élites de la nation, d'aller dans les zones déshéritées porter la bonne parole, d'expliquer la réforme agraire, de planter des arbres généreusement fournis par on ne sait quel office forestier. Sous les yeux à la fois ébahis et moqueurs des paysans qui voyaient déferler dans les douars assoupis des hordes de garçons et de filles amenés par autobus entiers, arrivés ensemble dans une promiscuité honteuse. Les pauvres paysans se hâtaient de mettre à l'abri leurs femmes et leurs filles de peur qu'elles ne soient contaminées par ce vent de liberté et de dépravation que nous amenions avec nous. Lilas n'a pas connu cette expérience. Sa mère ne l'autorisait pas à se joindre à nous. Par contre, le jour de la grande offensive, elle a été l'une des premières à sortir de l'appartement pour commencer le nettoyage. Elle a été aussi l'une des plus efficaces. La tête recouverte d'un foulard, elle a pris en main les opérations dans le bâtiment, encourageant du geste et de la voix les voisines qui s'arrêtaient un peu trop souvent pour discuter. Elle-même ne s'est arrêtée qu'à l'heure du déjeuner pour partager un couscous offert par la collectivité. Je ne l'avais jamais vue comme ça. Aussi déterminée, aussi active. Et pourtant, elle avoue elle-même qu'elle n'aime pas les travaux ménagers. Mais depuis qu'elle est revenue, et surtout depuis qu'elle a repris son travail au centre de santé, elle n'est plus la même. Elle me dit souvent qu'elle se sent enfin utile et qu'en écoutant les patients, en leur apportant le soutien psychologique dont ils ont besoin, même si elle sait que son intervention ne suffira certainement pas à transformer leur vie, c'est, d'une certaine façon, elle-même qu'elle soigne. Quand nous avons décidé de prendre une pause pour déjeuner et que les cages d'escalier se sont vidées, dans une impulsion subite je l'ai prise dans mes bras et je l'ai embrassée. Longuement. Comme autrefois. Elle en a été émue aux larmes. Elle s'est serrée contre moi. Et j'ai eu envie d'elle. Là. Tout de suite. Mais, au bruit d'une porte qui s'ouvrait à l'étage supérieur, nous nous sommes vite séparés comme des gamins pris en faute. Comme autrefois. La pause déjeuner a duré longtemps. À cause de la prière du vendredi. Les hommes sont allés se changer et faire leurs ablutions avant d'aller à la mosquée. La majorité des voisins vont ensemble accomplir leur devoir religieux. Et ils sont de plus en plus nombreux à remplir les mosquées et les abords de ces mosquées, au point que les rues tout autour sont maintenant fermées à la circulation à l'heure de la grande prière. Les plus vieux sont souvent précédés par des groupes de jeunes vêtus d'une gandoura blanche, qu'ils appellent *qamiss*. Une tenue traditionnellement portée par les habitants des zones rurales, mais très en vogue dans la jeunesse depuis quelques années. Une sorte d'uniforme qui a pour fonction d'indiquer clairement l'appartenance au mouvement des Frères musulmans, qu'on appelle familièrement Frérots. Il y en a quelques-uns dans l'immeuble. Pour la plupart encore adolescents, ou à peine sortis de l'adolescence et encore imberbes, à leur grand désespoir. Puisque la barbe est également un signe de ralliement. Tout comme l'étaient nos cheveux longs à l'époque où nous pensions ainsi marquer notre adhésion aux mouvements contestataires qui déferlaient un peu partout dans le monde. Force est de reconnaître qu'avant d'aller à la mosquée, ces jeunes-là se sont montrés très efficaces toute la matinée. Ils n'ont pas participé aux réunions, mais ayant eu vent de l'opération, ils se sont organisés seuls, sans nous concerter. Ils se sont réparti les tâches. Silencieux, disciplinés, discrets, actifs, ils ont abattu un travail considérable et s'y sont remis dès leur retour de la mosquée. C'est Noureddine, le fils d'Aïcha, notre voisine de palier, qui semblait diriger le groupe. Un jeune homme d'apparence timide, que j'ai vu grandir et que je taquine souvent, lorsque je le croise dans les escaliers, pour le seul plaisir de le voir virer au rouge jusqu'à la pointe des oreilles. En les regardant, je me suis fait la remarque qu'il y avait quelque chose de militaire dans leur organisation. Étonnant, pour des jeunes ! J'ai alors repensé aux événements de ces dernières années, qui ont défrayé la chronique et fait les unes de notre unique quotidien national francophone. Des opérations de sabotage comme le sciage de poteaux électriques par des «illuminés» qui ont pris le maquis au tout début de cette décennie, l'attaque d'une caserne par des islamistes «ennemis de la Révolution», attaque qui a causé de lourdes pertes parmi les gendarmes et les officiers de police. Et surtout l'assassinat particulièrement odieux d'un étudiant à la cité universitaire de Ben Aknoun par d'autres étudiants – depuis condamnés – lors d'affrontements entre trotskistes et islamistes. Je me souviens avoir pensé, en apprenant la nouvelle, à la réflexion de Hamid sur les étudiants chevelus, considérés alors comme les ennemis de la Révolution. Je me demande ce que disent aujourd'hui les militaires à propos des étudiants barbus. Et dans un enchaînement

d'images, j'ai brusquement revu la foule immense
– plus de dix mille personnes selon les informations
policières –, une véritable marée humaine qui est passée
sous nos fenêtres, impressionnante, disciplinée et
silencieuse elle aussi, qui a accompagné le corps d'un
leader islamiste, le cheikh Soltani, jusqu'au cimetière
de Kouba, il y a de cela quelques années. Je me suis
souvenu du malaise et de l'inquiétude de Lilas en les
voyant défiler. Mais je ne me suis pas attardé sur ces
images. Il y avait encore trop de choses à faire.

Il était très tard quand le signal a été donné de s'arrêter.
Les femmes avaient depuis longtemps regagné leurs
appartements pour s'occuper des enfants. Pour que
l'immeuble retrouve son aspect initial, il ne manque
plus que la peinture des murs intérieurs et la réparation
de la porte d'entrée principale, depuis longtemps
descellée et entreposée dans le local à poubelles. Avant
de nous séparer, nous sommes convenus de continuer
le vendredi suivant. Nous avons aussi décidé, sans faire
l'unanimité cependant – les réticences restent vives dès
qu'il s'agit de mettre la main au porte-monnaie –, de
nous cotiser pour engager une femme de ménage pour
l'entretien des cages d'escalier. Il ne fallait surtout pas
briser l'élan. Bilan de la journée : quelques glissades
dans les escaliers, heureusement sans gravité, quelques
dos douloureux, mais surtout le sentiment d'avoir
retrouvé un esprit de solidarité qui semblait s'être
totalement dissipé sous l'effet des innombrables aléas
d'un quotidien difficile. Un peu comme autrefois au
village, quand était organisée cette pratique de tradition
ancestrale, la *touiza*. Une journée au cours de laquelle
tous les habitants se mobilisent pour venir en aide à un
membre de la communauté, que ce soit pour une

récolte, la cueillette d'olives, la construction d'une maison ou pour réaliser un projet dans l'intérêt collectif.

Je crois bien que c'était la première fois depuis très longtemps que je montais chez moi sans avoir à allumer ma lampe de poche et en ayant envie de m'arrêter de temps en temps pour admirer le travail accompli. Il faudra maintenant faire le forcing auprès de l'office de gestion pour que la façade soit repeinte. Dans ses mêmes couleurs. Blanc et bleu.

Elle

Yemma a troqué son voile blanc contre une djellaba beige. Elle se couvre la tête d'un grand carré de mousseline blanche qu'elle attache au-dessus de son habituel foulard. Elle dit que c'est bien plus pratique. Elle n'a plus à tenir le haïk. Elle a les mains libres et s'en réjouit.

Maman porte à présent une djellaba quand elle sort. Et elle noue soigneusement son foulard de manière à ne laisser dépasser aucun cheveu. Elle dit qu'à son âge elle ne peut plus se permettre de sortir tête nue.

Zohra, Fatiha et Zahia ont été les premières à acheter des djellabas au marché de la Lyre. Presque immédiatement suivies par une dizaine d'autres voisines. Le phénomène s'est propagé en quelques semaines, d'étage à étage. Une contagion très rapide.

Amira, Naïma, Nacira et Samia, leurs filles, encore adolescentes, ont trouvé une manière originale de se couvrir les cheveux. Elles enroulent plusieurs fois autour de la tête une longue écharpe, un peu comme un turban dont elles laissent pendre les extrémités qu'elles ramènent autour du cou et fixent avec des broches. C'est toute une technique. Une technique originale qui semble être exclusivement réservée aux jeunes. Une façon de mettre en valeur l'ovale encore pur de leur visage ou des yeux savamment maquillés. Elles ne portent pas de djellaba. Pas encore. Elles ont rallongé leurs robes et leurs jupes, mais la plupart du temps elles continuent à porter des jeans.

Au centre de santé, beaucoup d'infirmières viennent travailler la tête recouverte d'un foulard. Mais elles l'enlèvent dès qu'elles franchissent le seuil. Le médecin-chef, directeur du centre, a interdit le port du foulard pendant les consultations.

Un grand nombre de patientes, jeunes et moins jeunes, portent la djellaba. Souvent au-dessus de chemises de nuit ou de robes d'intérieur. Avec des foulards blancs ou colorés. Leur nombre augmente de jour en jour. Pour beaucoup, c'est un moyen de cacher des vêtements qui ne sont pas toujours au goût du jour. Un cache-misère, elles le disent elles-mêmes.

Désormais, nous ne sommes plus que quelques-unes dans l'immeuble à faire de la résistance.

Lui

Je m'en veux encore d'avoir eu ce réflexe idiot
lorsque, en garant ma voiture sur le trottoir, j'ai vu un
groupe de voisins en train de discuter dans le hall
d'entrée de l'immeuble. Avant de sortir le panier du
coffre, j'ai pris le temps de recouvrir d'un journal et de
divers sachets contenant des courses les bouteilles de
bière et de vin que je venais d'acheter en ville. Une
réaction presque instinctive. Et j'ai traversé rapidement
le hall, en adressant à tous un salut collectif. Habituellement, je m'arrête pour me mêler aux discussions.
Histoire d'entretenir des relations cordiales. Nous
vivons ensemble depuis plus de vingt ans : cela crée des
liens et des obligations ! En montant les escaliers, j'ai
fait en sorte que les bouteilles ne s'entrechoquent pas.
C'est à cause des réflexions que je ne cesse d'entendre
depuis quelques mois. Tout le monde s'y est mis.
Même ma mère, qui ne voit cependant aucun inconvé-
nient à ranger mes bouteilles de bière dans le réfrigérateur. Quand donc te décideras-tu à aller à la mosquée ?
Il est temps pour toi, mon fils. Tu dois faire comme tout
le monde. La prière du vendredi est devenue un rite
incontournable, et qu'on voudrait obligatoire pour tous.
Ne pas me mêler aux fidèles qui, en groupes compacts,

convergent vers l'un des nombreux lieux de prières du quartier, me place au banc des mécréants. Personne n'oserait me le formuler de cette façon, mais il ne se passe pas de jour sans que j'entende au tribunal, dans les cafés et dans l'immeuble précisément, des exhortations plus ou moins vigoureuses pour me pousser à accomplir l'une des obligations majeures de tout croyant. Le plus souvent, je ne réponds pas. Ou alors, quand mes interlocuteurs se font insistants, je me contente de hocher la tête en marmonnant quelque chose qui ressemble à *In Chaâllah*. La pression se fait quotidienne, exaspérante, et on ne peut la contrer frontalement à chaque fois. Au début, pensant pouvoir argumenter, je répondais que la foi est une affaire personnelle qui n'a pas à s'exhiber à tout moment et en tout lieu. Mais je me rends compte qu'on ne saurait accepter la moindre remise en cause de ce nouvel ordre qui, insidieusement, s'installe. Et tout individu qui ne se plie pas aux lois imposées par la communauté se voit exclu, mis à l'index. C'est bien pour ça que je m'en veux d'avoir eu ce réflexe. Chaque concession que nous faisons est pour eux une victoire.

Lilas doit, elle aussi, supporter la même pression, simplement parce qu'elle continue à sortir tête et jambes nues, quand elle n'est pas en pantalon. Il y a pourtant beaucoup de femmes qui continuent à aller dans les rues sans le moindre bout de tissu pour cacher leurs cheveux. Mais nous vivons loin des quartiers huppés des hauteurs de la ville, où les contacts avec les couches populaires sont rares, voire inexistants. Et c'est dans des quartiers comme le nôtre que se fait le travail en profondeur des islamistes. Leur présence y est visible. Leur activisme aussi. Sans toutefois excéder les limites de la légalité. Il semblerait qu'ils ont retenu la leçon des événements sanglants de ces dernières années, même si leurs mosquées prolifèrent et qu'on entend çà et là, depuis le début de la guerre en Afghanistan, des appels à rejoindre les rangs de ceux qui mènent la guerre sainte. Je ne regrette qu'une seule chose : avoir vendu la maison que j'avais commencé à construire. Mais seul le gros œuvre était terminé, et les soucis pour assurer la finition devenaient insurmontables. Il m'aurait fallu passer des heures et même des jours entiers dans les entreprises et magasins d'État pour me procurer le moindre matériau afin de l'aménager correctement : le carrelage, les éléments pour les sanitaires, le bois, et j'en passe. Tous ces tracas ajoutés aux difficultés pour dénicher des ouvriers vraiment qualifiés exécutant un travail convenable, c'était vraiment trop. Je me suis découragé. Je l'ai cédée avec l'espoir de trouver assez facilement une maison, même en mauvais état, pour y habiter très vite. C'était compter sans la flambée des prix. Et surtout sans la crise du logement. Une crise qui pour certains, bien plus que pour nous, est une véritable tragédie. Lilas et moi ne cessons d'en mesurer les conséquences. Elle reçoit en consultation des hommes et des femmes qui développent toutes sortes de troubles liés à la précarité des conditions de vie, allant parfois jusqu'à la névrose. Il lui arrive de rentrer à la maison totalement bouleversée par les histoires qu'elle entend dans le secret de son cabinet de consultation. Au tribunal, ce sont les affaires de mœurs qui défraient la chronique depuis quelque temps. Incestes, viols aggravés, agressions et bien d'autres délits inconcevables, ou très rares, il y a seulement quelques années. Presque chaque jour, en recevant les confessions de certains de mes clients et en prenant connaissance des dépositions, j'ai l'impression que les fondements mêmes sur lesquels repose notre société sont ébranlés. Les repères vacillent. Les transgressions se multiplient. Et les réponses aux questions qui se posent quotidiennement sont esquivées. Ce qui, depuis quelques années, ne laisse d'autre recours que la violence. Violence individuelle. Violence collective. Violence destructrice des émeutes, un peu partout dans le pays. Violence des réactions de ceux qui sont chargés de faire respecter l'ordre public. Des flambées sporadiques qui ne présagent rien de bon. Des rumeurs courent, alimentées par les silences et les dérobades de ceux qui, calfeutrés dans des villas et des bureaux capitonnés, se crispent sur leurs privilèges.

On nous promet une rentrée agitée. En attendant, nous avons décidé d'aller en France. Pour la première fois. Avec une invitation. C'est Mohamed qui a ajouté nos deux noms sur une liste. Avec une équipe de footballeurs amateurs, tous médecins. Invités par une équipe de footballeurs amateurs français, médecins eux aussi. La fraternisation par le sport. C'est ainsi que nous avons pu avoir notre visa. Pour moi, ce sera la première traversée de la Méditerranée. Lilas, elle, est déjà allée en France. Mais elle était enfant et n'en a que de très vagues souvenirs. Elle y a passé un mois en colonie de vacances. C'était l'époque où l'on récompensait les petits musulmans qui travaillaient bien à l'école en les emmenant dans la métropole.

Il me tarde de partir. Non seulement pour découvrir un pays qui a fait longtemps partie de ma vie, mais surtout pour perdre de vue, un temps, les nuages qui s'amoncellent dans le lointain.

Elle

Premier contact avec la France. Paris. Nous avons l'adresse d'un hôtel près du boulevard Montparnasse, rue Campagne-Première. C'est, je m'en souviens en lisant la plaque, la rue où finit la course du héros de Jean-Luc Godard dans *À bout de souffle*, ce film que j'ai tant aimé quand il a été projeté à Alger, au temps où nous pouvions encore aller au cinéma.

Nous franchissons le seuil de l'hôtel, après avoir examiné le panneau indiquant les tarifs accroché sur la porte. Nous cherchons une chambre double avec salle de bains. Les prix nous paraissent abordables. Aspect un peu vieillot, mais coquet. Le jeune homme assis derrière le comptoir de la réception lève la tête. Il nous sourit, d'emblée. Désolé, l'hôtel est complet. Il nous montre un autre panneau, plus petit, accroché sur la vitrine. Nous ne l'avions pas remarqué. Au moment où nous reprenons nos valises, il nous rappelle. Attendez, il y a un autre hôtel près d'ici. Je vais les appeler pour leur demander s'ils ont des chambres. Il décroche son téléphone. Il discute un instant. Nous pose les questions qui lui sont posées. Durée du séjour, chambre simple ou double, nationalité. Puis il repose le combiné. Il a l'air gêné. Je ne crois pas que vous puissiez y aller. Ali,

249

qui semble n'avoir rien remarqué, lui demande pourquoi. Il désigne du doigt le téléphone et baisse les yeux. On vient de me demander si vous n'étiez pas euh… enfin, si vous étiez… propres.

Rien de ce que je vois à Paris ne m'est étranger. Chaque place, chaque rue, chaque plaque entrevue évoque un souvenir précis. À chaque pas, j'ai l'impression de tourner les pages d'un livre que j'aurais déjà lu, de retrouver les mots et les images dont je me suis nourrie depuis si longtemps. Le pont Mirabeau, la Seine, le boulevard Saint-Michel, le café de Flore, les jardins du Luxembourg, les Halles, tous ces lieux me replongent dans mes lectures, dans des séquences de films dont je reconnais les décors. Et c'est guidée par Verlaine, Hugo, Zola, Balzac, Baudelaire, Simone de Beauvoir, Modiano et bien d'autres que je déambule dans la ville. Étrange, ce sentiment de déjà-vu ou de déjà-lu qui ne me quitte pas tout au long d'interminables promenades dans les rues et les boulevards de la plus belle ville du monde. Après Alger, ne manque jamais de préciser Ali.

Autre sujet d'émerveillement : l'eau qui coule dès qu'on tourne les robinets. À n'importe quelle heure du jour ou de la nuit. J'avais fini par oublier que c'était ça, l'eau courante. Chez nous, il faut attendre une heure du matin et se dépêcher de remplir jerricans, bouteilles, bassines et baignoire avant la coupure, trois heures plus tard.

Pendant trois semaines, nous jouons aux touristes dans une ville désertée par ses habitants, dont la plupart ont fait le chemin inverse du nôtre, à la recherche d'un soleil qui n'a cessé cependant de briller sur Paris en ce mois d'août.

Paris, c'est beaucoup de monuments, de musées, de lumières et d'émerveillements au détour de chaque rue ; mais aussi, et je ne cesse de m'en étonner, beaucoup de crottes de chien sur les trottoirs. Je n'ai pas l'habitude de voir des chiens. Il n'y en a pas à Alger, ou très peu. Et seulement derrière les grilles et les murs des villas. On n'en voit jamais dans les rues et, dans les villages, les chiens errants, pelés et galeux, sont la cible privilégiée des jeux d'enfants. Quelques chats de gouttière se hasardent dans les couloirs, les cours intérieures des immeubles et auprès des décharges sauvages, mais ils ont, bien heureusement, acquis une telle défiance à l'égard des humains qu'ils ont développé un don de l'esquive absolument indispensable à leur survie.

Alya est restée à Alger avec ses deux grands-mères. Je les appelle tous les jours. Les nouvelles sont toujours les mêmes. L'été, la chaleur et un sentiment d'oppression de plus en plus fort, de plus en plus accablant. Avant notre départ, il planait sur la ville, depuis quelques semaines, une inquiétude presque palpable, une atmosphère pesante, chargée de mille et une rumeurs, un peu comme si l'air autour de nous bruissait de papillons noirs annonciateurs de malheurs. L'air, l'eau, la terre, tout est devenu source de mécontentements, d'émeutes et de violence. Et chose inhabituelle, le mécontentement est maintenant exprimé à voix haute, partout, sans que personne ne s'en émeuve. Il n'y a pas si longtemps, les rares personnes qui osaient manifester leur désapprobation en public étaient aussitôt repérées et remises au pas par des méthodes très dissuasives. C'est comme si nous étions arrivés à un point de non-retour, et que les digues menaçaient à tout moment de se rompre.

C'est un peu à cause de tout cela que nous n'arrivons pas, Ali et moi, à profiter pleinement de cette échappée. Le débarquement sera rude, je le sens.

Lui

Faut-il toujours que des hommes paient de leur vie pour qu'enfin leur voix soit audible à ceux qui se sont drapés de leur surdité et de leur suffisance pour mener le pays au bord de la faillite? Le bilan de ce mois d'octobre est lourd. Des centaines de morts, de disparus, de blessés. Des jeunes surtout. Des mères, à nouveau, pleurent des fils. On parle de milliers de victimes. Nous n'en connaîtrons jamais le chiffre exact. Par contre, nous connaissons le montant des dégâts matériels. Des milliards de dinars. Les bâtiments publics saccagés, le matériel envolé en fumée, fumées noires qui ont recouvert la ville d'une brume sombre et épaisse pendant plusieurs jours, les rues dévastées, les stocks de produits de toute nature pillés, les archives incendiées, tout cela est énuméré à longueur d'articles par les journaux qui n'osent pas encore prendre la mesure du bouleversement qui vient de se produire.

Cela a commencé en septembre. Dès notre retour de France, nous avons compris, Lilas et moi, qu'une poussée incontrôlable était en train de mener tout un peuple vers quelque chose d'irréversible. Dans l'immeuble, tous se préparaient. À quoi? Nul ne pouvait le dire. C'était là. L'attente, la peur, l'exaspération, la colère dans chaque mot, dans chaque geste. Plus qu'une rumeur. Une certitude entretenue par des faits qui se succédaient et entretenaient le sentiment que nous étions au bord de l'explosion – ou de l'implosion. Des grèves, des déclarations publiques contradictoires, des mouvements sporadiques de révolte contre les rationnements d'eau et de produits de première nécessité, contre la bureaucratie, contre l'arbitraire, et enfin, comme si tout s'était ligué pour amorcer la flambée, une chaleur excessive, plus de quarante-cinq degrés sur la ville et le pays accablés. Le vent va se lever, disaient les femmes rapportant ce que disaient les hommes, qui l'avaient eux-mêmes entendu dire par d'autres hommes dans les cafés, dans les mosquées, dans les usines et dans les stades. Un vent dont nous ne savons pas dire à présent de quel point de la terre il a commencé à souffler.

On a parlé d'abord de révolution prolétaire, lorsque, les uns après les autres, les ouvriers des complexes industriels se sont mis en grève. Très vite suivis par les entreprises d'État. Puis de révolution populaire lorsque les jeunes ont investi les rues le 5 octobre. Et enfin de révolution islamique quand Alger s'est découverte, à partir du troisième jour des manifestations, submergée par des vagues déferlantes et blanches, des dizaines de milliers d'hommes revêtus de *qamiss*, hurlant à cœur et à gorge déployés des slogans à la gloire de Dieu.

Et puis les chars sont entrés dans l'arène.

Le sang a coulé. Une fois encore. Et nous avons appris, abasourdis, la violence de la répression. Mais, fait nouveau, les victimes ont parlé. Et les journaux, d'abord timidement, ont relayé l'information. Des hommes, des jeunes gens pour la plupart, ont été torturés. Il ne se passe pas de jour sans que des clients viennent me voir avec des traces de sévices visibles sur le corps. Les récits sont effrayants.

J'ai l'impression d'être revenu près de trente ans en arrière, lorsque les rescapés des prisons coloniales décrivaient dans les journaux les tortures qu'ils avaient subies dans des lieux tristement célèbres.

Une fois le choc passé, en constatant l'ampleur des dommages et des exactions, nous avons constitué un collectif d'avocats pour prendre en charge toutes les plaintes et défendre les nombreux prévenus dont certains n'ont pas encore été présentés au parquet. Amine lui-même a été très violemment pris à partie parce qu'il est allé au commissariat du quartier pour s'enquérir de certains des gamins qu'il entraîne en athlétisme, et qui ont été embarqués parce qu'ils lançaient des pierres sur les forces de police.

Dans l'immeuble, pendant toutes ces journées que l'on qualifiera certainement plus tard de journées historiques, nous avons retenu notre souffle. Le premier jour, mercredi, j'avais audience. La veille, des voisins m'avaient conseillé de ne pas sortir, mais je n'ai pas tenu compte de leurs avertissements. Cela faisait déjà plusieurs jours que le bruit courait qu'une manifestation de protestation allait se produire, mais personne ne pouvait dire avec exactitude quand et comment cela devait se passer, et surtout par qui elle était organisée. Et comme depuis des décennies seules les manifestations organisées par le pouvoir sont autorisées, je n'y croyais pas trop. C'est lors de mon retour du tribunal, l'audience ayant été interrompue par un coup de téléphone adressé au juge d'instance, que j'ai vu, dans les quartiers que je traversais, de petits groupes de jeunes armés de pierres et de jerricans d'essence, qui se déplaçaient très rapidement et s'en prenaient à tous les édifices publics. Et, chose étrange en pareille circonstance, pas ou très peu de policiers ou de voitures de police.

Lilas était déjà rentrée à la maison. Sa mère, prévenue qu'on venait d'incendier le Monoprix de Belcourt, était allée la chercher, pendant que ma mère était allée à l'école pour récupérer Alya. Et c'est de notre balcon que nous avons vu s'élever, un peu partout dans la ville, des nuages de fumée noire.

Trois, quatre, cinq, six, sept jours de folie, de confusion totale, de rumeurs contradictoires, toutes plus alarmantes les unes que les autres, jusqu'à l'intervention de l'armée et la proclamation de l'état de siège.

Nous voilà à l'aube d'une ère nouvelle, crient à présent les plus optimistes, se réjouissant du sérieux coup de semonce donné au parti honni de tous, le FLN, dont les membres du bureau politique ont été sérieusement secoués par des attaques personnelles.

Beaucoup d'autres, plus réservés, attendent les suites.

Il y a celles qui ne se sont pas fait attendre : les assemblées générales pour la création d'organisations autonomes en rupture avec les organisations de masse, les grèves, les sit-in, les mouvements de contestations diverses.

D'autres encore, plus discrètement, affûtent leurs armes.

Tout va très vite. On dirait que tout le monde veut rattraper le temps perdu. Après presque trente ans de silence, des voix s'élèvent de toute part. On s'organise, on dénonce, on multiplie les manifestes, les déclarations, les analyses, les prises de position, les revendications, les remises en cause d'un système profondément ébranlé et poussé dans ses derniers retranchements par la révolte populaire. Chacun veut s'attribuer la paternité de cette révolution d'octobre, et en tirer les dividendes. Mais, comme le dit Lilas, nous ne saurons jamais vraiment qui a allumé les feux, qui a réussi à entraîner ou à manipuler les foules.

Lilas reste très inquiète. Trop de signes, dit-elle, montrent clairement que ce n'est qu'un début. Elle est quotidiennement en contact avec des femmes qui lui parlent de ce qu'elles vivent. Des femmes qui lui racontent les retours triomphants de leurs frères et de leurs fils partis se battre en Afghanistan. Et les espoirs qu'ils en ont ramenés, en premier lieu celui de pouvoir continuer le combat dans le pays pour y instaurer une nouvelle république islamique. C'est vrai qu'ils sont partout, ces jeunes gens barbus vêtus de gilets et pantalons afghans, et qui se promènent dans les quartiers populaires auréolés d'un prestige démesurément accru par des récits de faits de guerre bien plus proches de la légende que de la réalité.

Des cadavres qui ne subissent aucune putréfaction et exhalent un parfum de musc plus de trois mois après le décès aux tirs de missiles détournés par la simple évocation de la puissance divine, tout est bon pour entretenir la crédulité et galvaniser les troupes.

Pourtant je ne partage pas entièrement le pessimisme de Lilas. La donne a changé. Les langues se délient. Qu'on puisse exiger des explications et porter plainte auprès des tribunaux pour les nombreux dérapages et les exactions qui ont eu lieu pendant ces journées, est le signe que l'impunité est définitivement abolie. Le nouveau ministre de la Justice lui-même l'a dit. Qu'on puisse discuter aujourd'hui librement de l'avènement du multipartisme et de l'instauration d'une véritable démocratie me semble une victoire incontestable. Une victoire que j'espère irréversible.

Elle

Que des mères en arrivent à souhaiter la disparition d'un fils, que des sœurs ne rêvent que de voir leurs frères s'exiler pour qu'elles puissent recouvrer une vie normale, que l'autorité des pères soit remise en cause, délibérément niée, voire bafouée, cela veut forcément dire que quelque chose s'est déréglé. Non seulement au sein même des familles, mais aussi et surtout dans la société tout entière. Il n'est pas nécessaire d'être sociologue pour s'en aviser. Il suffit de regarder et d'écouter.

J'avais déjà été très amusée, mais aussi très frappée, par les paroles d'une jeune femme rencontrée il y a quelques années dans un salon de coiffure. Elle demandait à la coiffeuse de lui teindre les cheveux en blond, avec des mèches platine, exigeait-elle, et de la maquiller pour aller faire la fête. Et, tout excitée, elle racontait avec un humour irrésistible à l'assistance égayée qu'elle voulait fêter avec éclat le départ de son frère en Afghanistan. Un jeune homme prêt à rejoindre les combattants islamiques qui luttaient contre l'armée russe. J'ai fait moi-même ses valises, précisait-elle. Je lui ai donné tout mon argent. J'ai même fait semblant de pleurer avec ma mère. On a offert un couscous à tout le quartier en l'honneur du futur martyr. On a brûlé toute la nuit de l'encens et des bougies dans sa chambre pour l'aider à se purifier. Il m'aurait demandé de le porter jusqu'à l'aéroport, je l'aurais fait. Je l'aurais expédié par fret, avec interdiction de retour à l'expéditeur, s'il n'avait pas eu son visa pour l'Angleterre. Mais, heureusement, il l'a obtenu très facilement. Je ne remercierai jamais assez les Anglais pour les services qu'ils nous rendent. C'est moi qui ai rempli tous les formulaires de demande. Et je suis allée chaque jour allumer des cierges à Sidi M'hamed pour qu'il puisse l'obtenir. Depuis qu'il fréquentait la mosquée, la vie était devenue intenable pour nous.

Avant de sortir, coiffée et maquillée comme pour célébrer un grand jour, elle nous avait gratifiées d'un vibrant « Vive la liberté ! » que nous avions salué avec des applaudissements.

D'autres scènes, d'autres anecdotes, beaucoup moins divertissantes, m'ont été rapportées. Par une mère venue en consultation parce que, ne sachant à qui se plaindre de peur de passer pour une femme insensée ou, pire, pour une mécréante aux yeux de son entourage, elle voulait simplement trouver quelqu'un qui l'écouterait et pourrait éventuellement la conseiller. Pendant plus d'une heure, dans un discours haché, entrecoupé de silences et de sanglots, elle m'a raconté son calvaire. Un calvaire subi en silence et causé par son fils unique, un garçon de dix-huit ans jusque-là sans histoires et qui, du jour au lendemain, s'était mis à régenter la maisonnée et à terroriser ses sœurs. Parce qu'il avait décidé d'imposer un nouveau mode de vie à sa famille. Plus de mobilier, plus de bibelots, plus de télévision, plus de musique, plus de fenêtres ouvertes, plus rien qui puisse faire offense à son rêve de revenir aux temps anciens, au temps des débuts de l'islam. Le tout sous les yeux impuissants d'un père âgé, dépassé par les événements. C'est cette mère qui m'a avoué, entre deux sanglots, qu'elle ne souhaitait qu'une seule chose, que son fils disparaisse à jamais. Elle avait beau prier, tenter de se ressaisir, elle ne pouvait envisager que cette solution. Je lui ai donné la vie et maintenant je prie pour que Dieu la lui reprenne. Je dois être folle. Il faut m'enfermer. Je ne sais pas ce que je pourrais faire s'il continue à nous tyranniser ainsi. J'ai peur. J'ai peur de moi. J'ai peur de lui. Je ne le reconnais plus. Elle se tordait les mains, se déchirait les vêtements, s'arrachait les cheveux comme si elle était vraiment devenue folle. J'ai eu du mal à l'apaiser. Je n'ai pu que lui conseiller de se séparer de lui en l'envoyant ailleurs, ou en quittant la maison avec ses filles. En attendant. En attendant quoi ? Je ne le savais pas moi-même.

J'ai peur, moi aussi. Ce que je vois, ce que j'entends chaque jour me glace. J'ai peur pour moi, pour ma fille, pour nous, j'ai peur de ce qui est en train de se jouer en ce moment même, sous nos yeux impuissants.

Amine nous a appris que les livres de chevet de certains adolescents qu'il entraîne au stade ont pour titre *L'Art de la mort*, ou *L'Industrie de la mort*. L'auteur n'est autre que le fondateur des Frères musulmans, Hassen el Benna.

Alya revient chaque jour de l'école avec de nouveaux récits racontés par sa maîtresse lors des cours d'éducation islamique. Des récits prétendument empruntés aux *hadiths*, les faits et dits du prophète rapportés par ses compagnons et ses disciples. Et nous devons répondre chaque soir aux questions angoissées suscitées par les histoires terrifiantes d'interdits, de châtiments terribles et d'enfer, rapportées par une toute petite fille qui a du mal à s'endormir parce que ses nuits sont hantées de cauchemars. Des cauchemars où de très hautes flammes viennent dévaster la chambre qu'elle partage avec sa grand-mère, puis l'immeuble, et qui gagnent la ville tout entière avant de monter jusqu'au ciel sur lequel elles projettent des lueurs rouges et noires avant de revenir vers nous, son père et sa mère, pour nous envelopper et nous faire disparaître. Des rêves très précis qu'elle nous raconte, tremblante et désarmée, au matin.

Ali, totalement euphorique depuis les événements d'octobre, n'attache pas trop d'importance à tout cela. Il pense que mon inquiétude est exagérée. Il retrouve, dans les réunions des comités de défense des droits de l'homme, l'enthousiasme militant des premières années de l'Indépendance. Il est persuadé qu'après tant d'années de silence et d'étouffement de toute contestation, tout ce qui peut contrer l'hégémonie du parti unique ne peut être que constructif. Tant mieux si d'autres partis s'engouffrent dans la brèche. Selon lui, il faut accepter de jouer le jeu de la démocratie. J'aimerais tant qu'il ait raison ! J'aimerais de tout mon cœur croire avec lui qu'une page de notre histoire est tournée et que nous allons enfin entrer dans l'ère de cette démocratie fièrement affichée dans la devise du pays dès la proclamation de l'Indépendance, et cependant si malmenée.

Yemma et Maman partagent son avis. Pour des raisons autres. Plus terre à terre. Au lendemain des journées sanglantes de la révolution d'octobre, comme par enchantement, les magasins se sont remplis de produits alimentaires encore inexistants sur les marchés quelques jours auparavant. Méfiantes, elles ont fait des stocks de semoule, de farine, de café et d'huile, mais elles constatent avec étonnement que les produits sont toujours disponibles. Cela suffit à leur bonheur. Elles ont du mal à croire à l'abondance retrouvée après tant d'années de pénurie, de tracasseries quotidiennes.

Je crois que j'ai l'art de poser des questions qui dérangent. Une trop grande propension à tout gâcher par des remarques déplacées aux yeux des autres. Mais mon inquiétude est réelle. Et justifiée. Justifiée par les nombreuses réflexions que j'entends autour de moi, et qui, toutes, me confortent dans le sentiment que le chemin que nous venons de prendre ne mène pas nécessairement vers des lendemains plus radieux.

Alya est rentrée ce soir avec de nouvelles résolutions. Elle a demandé un sac en plastique à sa grand-mère. Elle y a mis toutes ses poupées, et m'a demandé de les ranger dans le débarras. La maîtresse vient d'expliquer à toute la classe que toute représentation du corps humain était interdite en islam. Et que les poupées n'étaient qu'une invention des mécréants pour détourner les petits enfants de la parole de Dieu. J'ai passé beaucoup de temps à trouver des arguments pour lui démontrer que la maîtresse avait confondu les idoles de l'époque antéislamique avec de malheureuses poupées destinées tout simplement à permettre aux fillettes de jouer. Je lui ai expliqué que ces jeux existent depuis des temps très reculés, et qu'autrefois les petites filles fabriquaient parfois elles-mêmes leurs poupées avec des roseaux. Elle n'a rien voulu entendre. Elle a dernièrement refusé d'inviter ses camarades à son anniversaire, parce qu'on lui a seriné que fêter un anniversaire autre que celui de la naissance du prophète était une hérésie, une tradition chrétienne. Dix ans à peine, et la voilà prise en étau entre deux conceptions, deux modèles de vie diamétralement opposés ! Et malgré elle, malgré nous, elle se sent obligée de transiger. Parce qu'elle a peur des remontrances. Parce qu'elle a peur d'être prise en grippe, ou, chose plus grave encore, d'être humiliée devant ses camarades.

La peur. L'humiliation.

Ces mots viennent de s'introduire une fois de plus dans nos vies. Jusqu'à l'intérieur de nos maisons.

La peur est là. La peur qui met des couleurs d'orage et des traînées de brume dans les yeux d'une petite fille qui ne comprend pas pourquoi les adultes ne parlent pas le même langage. Pourquoi ce qui est permis par les uns est interdit par les autres. Pourquoi il lui faudrait désobéir aux uns pour ne pas déplaire aux autres.

Alya pose beaucoup de questions. Sur le mal et sur le bien. Sur la mort. Sur le paradis et l'enfer. Sur le licite et l'illicite. À tout moment. En toute circonstance. Avant de porter un aliment à sa bouche. Avant de s'habiller. Avant de faire sa toilette. Avant de s'endormir. Tous ses actes, jusqu'à ses gestes les plus anodins, sont passés au crible des leçons qu'on lui inculque à l'école, des jugements de ses camarades tout aussi inquiets qu'elle de l'heure du jugement dernier.

Je dois répondre à ses questions. Contenir ma colère. Trouver les mots pour apaiser. Pour contrer. Pour permettre à ma fille d'apprendre à vivre. À vivre son enfance. Faire en sorte qu'elle puise dans l'insouciance et l'innocence la force d'affronter la merveille des jours et d'en capturer la lumière. Qu'elle aille au bout de ses étonnements et de ses impatiences, même si le chemin est long. Et nous devons l'accompagner.

Lui

J'ai l'impression qu'en ces dernières années le mouvement de rotation de la terre s'est considérablement accéléré. Que les aiguilles du temps se sont affolées. Un peu partout dans le monde, et presque au même moment, sous les coups de boutoir des révoltes populaires, les certitudes se désagrègent puis s'effondrent. Les blocs les plus solides n'ont pas résisté à cette poussée. Les événements d'octobre, chez nous, n'ont été que l'une des premières manifestations de cette accélération de l'histoire. Il est cependant difficile de se réhabituer à la clarté du jour. C'est un peu comme si, longtemps enfermés, tenus à l'abri de murs bâtis dans l'illusion qu'ils seraient indestructibles, infranchissables, nous nous retrouvions soudain livrés à une lumière crue, aveuglante. Les pupilles, dilatées par l'obscurité et gênées par la persistance des sensations rétiniennes, ont besoin d'un temps de latence pour se rétracter, accommoder et retrouver ainsi leur fonction naturelle.

Elle

Nous venons de trouver une maison. Dans un autre quartier. À El Mouradia, précisément. Une maison coloniale, entourée d'un jardin planté d'arbres. Dans une de ces petites rues pentues et tortueuses bordées de petites villas sans prétention qui font le charme de la ville. Sous un toit de tuiles rouges, quatre pièces autour d'un grand vestibule. Les pièces ne sont pas très grandes, mais nous n'avons pas besoin de grands espaces. Depuis très longtemps inhabitée, squattée par des nuées de pigeons, elle est en bien mauvais état, mais nous avons décidé de l'acheter.

C'est le jardin qui a balayé toutes nos hésitations. Et plus particulièrement le palmier en son centre, un palmier au tronc haut et dont le feuillage semble s'élancer à l'assaut du ciel. J'ai toujours été subjuguée par l'élégance de cet arbre, en tous lieux, même les plus inappropriés. Surtout depuis que je sais qu'il symbolise la vie et la fécondité dans toutes les civilisations, et ce depuis des temps très reculés. Je veux y voir un présage. Depuis quelque temps, nous nous raccrochons à tout ce qui pourrait nous permettre d'espérer des jours meilleurs. Il me semble être revenue au temps de mon adolescence où j'interprétais chaque fait, chaque mot, chaque spectacle, comme un signe qu'il me fallait décrypter. Le temps des questions, des angoisses et des incertitudes.

Depuis que nous avons visité cette maison, j'ai l'impression que le poids qui me comprimait la poitrine depuis quelques années s'est allégé. Je suis même prête à aller y habiter tout de suite, dans l'état où elle est, dès qu'elle sera à nous. Ali préfère attendre que le plus gros des travaux soit terminé. Il va signer demain le contrat chez le notaire.

Lui

Victoire du FIS aux élections municipales. Scènes de liesse des partisans dans les rues pendant toute la nuit. Le FNL est définitivement laminé. Ni Lilas ni moi n'avons voté. Il faisait trop beau. Nous avons passé la journée à la plage. Une journée magnifique. En rentrant, nous avons fait un détour par notre future maison. Comme pour nous assurer qu'elle était toujours là. Plus que quelques mois, et elle sera tout à fait habitable. Lilas s'impatiente. Alya a déjà choisi sa chambre.

Elle

J'ai trouvé de très beaux meubles anciens chez un antiquaire. Ils sont chers, très chers. Les « vieilleries » sont maintenant très recherchées, et de plus en plus rares.

Le propriétaire de la boutique est un personnage extraordinaire. En parlant, il mélange l'arabe, le kabyle, le français et l'espagnol, et il incorpore même quelques mots d'anglais à ses discours sur la décadence des civilisations et l'immortalité de l'art. Il cite Cervantès, Camus et Ibn Khaldoun. Comme s'il était à lui tout seul le concentré d'une histoire encore vivante, encore présente dans chacune des pièces qui composent son univers. Il refuse même de se séparer de certains objets exposés, quel que soit le prix qu'on lui en propose, disant qu'ils lui manqueraient s'il ne les avait pas sous les yeux tous les jours. Il prétend savoir, au premier coup d'œil, si la rencontre entre un objet et un éventuel acheteur se fera. Et il a beaucoup de clients. Après la vague de coopérants français qui ont acquis de très belles pièces au moment où personne n'en voulait, il rencontre de plus en plus de connaisseurs algériens, nous a-t-il confié.

Après d'âpres marchandages, Ali et moi avons fini par l'amadouer.

Nous avons tellement attendu cette maison qu'elle ne sera jamais assez belle pour combler nos rêves.

Nous avons fait ouvrir dans le salon deux grandes portes-fenêtres qui donnent sur le jardin. J'ai déjà commencé à y planter des rosiers, du jasmin et des clématites.

Lui

Comme après une longue hibernation, Alger maintenant ne connaît presque plus de jour sans que ses rues soient envahies par des foules de citoyens bien décidés à se faire entendre, à occuper un terrain à présent accessible. Semaine après semaine, tous les partis, voulant mesurer et donner au monde la mesure de leur force de frappe, appellent leurs militants à manifester. Sous le ciel de mai, un ciel d'une pureté exquise, comme seuls les jours de printemps savent en fabriquer, on se retrouve, on se bouscule, on se mélange, on s'apostrophe, on serre les rangs, on crie, on compte ses troupes, on brandit slogans et banderoles et on se donne rendez-vous pour une prochaine fois. L'occasion est trop belle de pouvoir enfin libérer des voix trop longtemps contenues. Au point que, maintenant, lorsque l'un d'entre nous annonce qu'il va sortir, on ne lui demande plus où il va, mais avec qui il va manifester. Les plus impressionnants sont les militants du FIS. Leurs manifestations ressemblent plus à des parades militaires qu'à des manifestations. Ils sont disciplinés. Ils sont canalisés par un service d'ordre très efficace. Une démonstration impressionnante.

Elle

Madame Moreno n'est plus là. Elle est brusquement tombée malade et a été évacuée dans une institution pour personnes âgées tenue par des religieuses, les petites sœurs des pauvres.

Avant de partir, elle m'a fait appeler chez elle. Elle m'a donné une statuette. Prends-en bien soin, petite, elle est ce que j'ai de plus cher. Elle m'a aidée à traverser toutes les guerres.

C'est une statuette de bronze représentant une femme agenouillée dans une posture de suppliante, les bras tendus vers le ciel.

Chaque fois que je regarde cette femme implorante, au corps drapé dans une tunique retombant en plis lourds sur un socle de marbre blanc, les cheveux dénoués autour d'un visage creusé par une douloureuse angoisse, je me souviens des mains de *Djedda* caressant avec tendresse et respect cet objet qui l'a accompagnée jusqu'au bout de sa solitude.

Je me souviens aussi, avec précision, de ses mots : tu vois, ça, petite, c'est la guerre. Et elle ajoutait ces phrases que je n'ai jamais oubliées : c'est l'amour qui donne plus de sel aux larmes. Mais qui n'a jamais pleuré n'a pas vraiment vécu.

J'ai enveloppé de tissu la statuette et l'ai rangée dans l'armoire. Ce sera le premier bibelot que je placerai dans le salon, lorsque nous emménagerons chez nous. Je sais exactement à quel endroit de la maison elle continuera d'implorer le ciel.

En revanche, je ne sais pas si elle sera jamais entendue.

Lui

J'ose à peine y croire. La maison est prête. Il ne manque plus que les peintures.

Bien entendu il a fallu beaucoup de temps pour obtenir un acte de propriété en bonne et due forme, puis les autorisations nécessaires et commencer les travaux de réfection. De ce côté-là, rien n'a vraiment changé. Il faut plus qu'une révolution pour se débarrasser des réflexes bureaucratiques.

Du sol au plafond, nous avons tout refait. Avec un regret pour le carrelage ancien aux très beaux motifs et aux très belles couleurs. Mais les carreaux étaient presque tous craquelés, et, dans certaines pièces, le sol est carrément à nu. Les mosaïques romaines de Tipasa semblent avoir mieux supporté l'érosion du temps...

Nous allons bientôt emménager. Plus que quelques semaines. Il nous faut attendre la fin de l'année scolaire, pour ne pas perturber Alya. Elle entrera au collège l'année prochaine. Lilas s'est occupée du transfert de dossier.

Seule ombre au tableau : ma mère. Elle semble réticente. Elle préférerait rester dans l'appartement où elle a, dit-elle, passé toute sa vie. Le changement lui fait peur. Lilas pense que c'est normal. Toutes les personnes âgées sont sujettes à des angoisses lorsqu'elles doivent quitter les lieux où elles ont toujours vécu, où elles ont leurs repères, leurs habitudes. Il faut la préparer, la ménager.

Hamid lui a proposé de venir habiter chez lui. Il vit maintenant à Blida, près de la prison militaire où sont détenus les dirigeants du FIS depuis leur arrestation, au mois de juin dernier. Sa femme, Irina, est repartie en Russie. On ne sait ni quand, ni pourquoi, ni s'il s'agit d'un départ définitif. Elle a emmené avec elle leur fille, Nadia. Leur fils Mehdi est resté. Comme tout bon militaire, Hamid cultive le secret et l'art de ne pas répondre aux questions. On ne sait même pas s'il a trouvé une autre compagne. Je ne serais pas étonné d'apprendre que, tout en étant marié avec Irina, il a pris une seconde épouse, comme son père. Mais c'est sa vie, après tout. Il n'en reste pas moins que, pour la première fois je crois, ma mère a refusé sa proposition. Sans doute gagnée à son tour par le vent de contestation qui souffle sur le pays et s'engouffre un peu partout, dans les lieux et les moments les plus inattendus parfois, elle a osé dire non à son fils aîné.

Lilas a chargé Alya de tenter de convaincre sa grand-mère. Elle lui est très attachée. Nous ne cessons de lui répéter qu'Alya ne supporterait pas la séparation. On a même demandé à Amine de venir plaider notre cause. Il est bien placé, puisque lui non plus ne s'est pas séparé de sa mère ! Et mieux encore, il ne s'est même pas marié. Il tente sans doute de combler auprès d'elle l'absence douloureuse de Samir, son frère jumeau, qui vit aujourd'hui en Angleterre et commence à se faire un nom dans le monde de la musique. Amine se consacre corps et âme aux enfants qu'il entraîne au stade – des graines de champions, assure-t-il, pour peu qu'on leur en donne les moyens.

De toute façon, il faudra bien que ma mère se résigne à nous suivre. Il n'est pas question de la laisser seule. Il n'est pas question de la laisser ici. La situation s'est trop détériorée. À la suite des récents affrontements entre l'armée et les islamistes qui ont appelé à la désobéissance civile et à la grève générale, l'état de siège vient d'être instauré pour tenter, a-t-on déclaré, de ramener l'ordre et garder le contrôle de la situation. Alger est sous couvre-feu à partir de huit heures le soir. Les hélicoptères de l'armée tournent inlassablement au-dessus de la ville, tels de gros bourdons noirs. Le hululement des sirènes des voitures de police et des ambulances trace dans la nuit de longs sillons d'angoisse, tandis que des pneus brûlés, çà et là, dégagent une fumée noire et pestilentielle qui s'insinue jusqu'au cœur des maisons.

Imagine qu'il t'arrive quelque chose au milieu de la nuit, comment ferons-nous pour venir jusqu'à toi? C'est le seul argument qui ait réussi à ébranler quelque peu ma mère qui, périodiquement, se plaint de divers maux que nul médecin n'a jamais réussi à identifier. Et pour qu'elle commence à s'habituer à la maison, nous l'emmenons avec nous chaque fois que nous y allons. Le retour dans l'immeuble est de jour en jour plus difficile. Pas seulement à cause des huit étages qu'il faut gravir à pied, mais aussi à cause de l'atmosphère qui règne dans le quartier – et à l'intérieur même de l'immeuble. Les camps sont nettement délimités, les hostilités évidentes, et les tranchées se creusent un peu plus chaque jour. Certains voisins que je croise dans le hall ou dans les escaliers ne me saluent plus. Ou, du moins, ne répondent plus à mon salut. Je m'obstine tout de même à leur adresser un *Salam aleykoum* très distinct. Quelques-uns se détournent ostensiblement. Les conversations s'arrêtent quand je passe et il m'arrive parfois, pour les narguer, de lancer à la cantonade *wa aleykoum essalam*, faisant comme si je répondais à un salut imaginaire.

Mais l'ambiance générale n'est pas à la plaisanterie. Nous le savons tous.

Elle

Ce soir, en rentrant du travail, j'ai croisé dans les escaliers Noureddine, le fils de notre voisine de palier. Un jeune homme que j'ai connu enfant et qui, il n'y a pas longtemps encore, m'aidait à porter mes paniers quand je revenais du marché. Il s'est arrêté pour me laisser passer. S'est plaqué contre le mur comme s'il avait peur que je le frôle. Et, détournant ostensiblement la tête, il a craché par terre, accompagnant son geste des mots suivants: «Que la malédiction de Dieu soit sur celles qui ne respectent pas Sa volonté.»

Je me suis arrêtée. J'ai cherché son regard. Nous nous sommes affrontés un court instant. Puis il a baissé les yeux et a dévalé les escaliers.

Un souvenir est alors venu se ficher dans ma poitrine. Presque au même endroit, il y a aujourd'hui presque trente ans, Mohamed, alors très jeune, avait croisé un Français, militant de l'OAS. C'était, je crois bien, le fils d'une voisine. Celui-ci s'était arrêté, l'avait saisi par le bras et l'avait violemment apostrophé en ces termes: «Nous aurons ta peau, graine de fellaga!»

Lui

Je suis dans une forêt.

Je ne sais pas si je veux pénétrer au cœur de cette forêt ou si je cherche à en sortir.

Je marche depuis très longtemps.

Tout est silence. Pas de chants d'oiseaux, pas un souffle d'air. Seul le bruit de mes pas sur le tapis de feuilles et, de temps à autre, le bref craquement d'une branche sèche, comme une détonation lointaine.

Plus j'avance, plus les arbres se resserrent. À travers leur feuillage de plus en plus dense, le ciel se colore de reflets sanglants.

L'espace se rétrécit.

Je ne peux plus avancer.

Je ne peux même pas crier. Je sais que personne ne m'entendra. Je cherche une issue. Les arbres sont maintenant collés les uns aux autres.

J'étends les bras. Je touche du bout des doigts les troncs secs et rugueux. Ils resserrent leur étreinte, comme pour me contraindre à l'immobilité.

Mes pieds s'enfoncent dans le sol. Je comprends soudain que je dois absolument prendre l'apparence d'un arbre si je ne veux pas être étouffé.

Au moment même où je prends conscience de cette

impérieuse nécessité, j'entends un battement sourd. Un battement qui s'amplifie, se précipite et se répercute d'arbre en arbre.

J'ai de plus en plus de mal à respirer.

Je m'éveille. Je ne sais plus où je suis. Plus d'une heure s'écoule avant que mon cœur ne retrouve son rythme normal.

J'ai sombré dans le sommeil très tard dans la nuit, au moment où le ministre de l'Intérieur, le visage défait, donnait les derniers chiffres après le dépouillement des votes.

Je ne sais plus le nom du responsable politique qui avait un jour prononcé dans un discours historique cette phrase inscrite depuis dans les annales du pays : « Nous étions au bord d'un gouffre mais, grâce à Dieu, nous avons fait un pas en avant. »

Je me souviens combien, à cette époque-là, nous nous étions tous gaussés de cette maladresse. Ce pas en avant, nous venons réellement de le faire. Les résultats du vote pour les élections législatives sont sans appel. Les islamistes ont obtenu 188 sièges sur 228.

Je n'oublierai jamais le rêve terrifiant de cette nuit de décembre.

Elle

Les fenêtres sont ouvertes. Mêlée à celle du jasmin, l'odeur entêtante du galant de nuit envahit toute la maison. Quelque chose d'infiniment doux, une transparence de l'air, une clarté diaphane, s'est glissé dans le jardin et, dans une vibration aussi ténue, aussi dense qu'une note de musique, reste en suspens, en attente, au-dessus de nous.

Nous venons de dîner. Nous sommes assis dans le jardin. Alya et sa grand-mère sont allées dormir. Il est tard. Ali est silencieux. Près de lui, une cigarette oubliée se consume dans un cendrier. Tout autour de nous, par terre, les journaux de ces derniers jours. La même photo en première page. Celle du président Boudiaf, l'homme à la main tendue. Des photos encadrées de noir. Sur l'une d'elles, une légende en très gros caractères. Ces mots : ils ont assassiné l'espoir.

Ils. Eux. Ceux qui.

Comme elle est pratique, cette façon de désigner sans nommer !

Mais tous nous savons.

Ils savent, ceux et celles qui, dans les rues d'Alger une fois de plus endeuillée, ont accompagné de leurs pleurs et de leurs cris de révolte le président jusqu'à sa dernière demeure.

Ils savent, ceux qui, en costume sombre ou en uniforme, lunettes noires et visages aussi impénétrables que des coffres-forts suisses, ont précédé la foule immense venue s'incliner, au palais du Peuple jamais si bien nommé, devant la dépouille du président.

Ils savent, ceux qui, dans certains quartiers, dès l'annonce de la nouvelle et jusque très tard dans la nuit, ont fêté avec des youyous, des cris de joie et des *Allah Akbar*, la mort d'un homme intègre. Ceux-là espèrent. Ils espèrent que seront anéantis un à un, par le fer et par le feu, tous ceux qui se dressent sur leur chemin.

Tout à l'heure en rentrant, Ali m'a appris que plusieurs de nos amis avaient commencé à se préparer au départ. Certains se sont déjà exilés, tout de suite après l'annonce de la victoire du FIS aux législatives.

Tant mieux, ai-je entendu à la télévision de la bouche d'un professeur d'université ayant obtenu l'asile politique aux États-Unis depuis la dissolution du parti islamiste. Et, le sourire aux lèvres, il a ajouté, en futur dirigeant responsable : les rats quittent le navire. Cela nous aidera à résoudre la crise du logement et à résorber le chômage.

Les journaux rapportent que là-bas, de l'autre côté de la Méditerranée, on se prépare déjà discrètement à l'afflux de boat people en provenance de l'ancienne colonie. Peut-être même réaménage-t-on les camps qui ont servi à accueillir l'exode de 1962 ?

1962-1992. Trente ans, presque jour pour jour. Tout un chemin parcouru. Le temps nécessaire pour faire d'un enfant un adulte. Le temps d'une génération. Une seule. Qui, demain, en rendra compte à l'histoire ?

Je me revois enfant, en cet été 1962, dévalant les escaliers de l'immeuble, parcourant les appartements vides, restés ouverts après le départ de leurs occupants. Attentive seulement aux traces de vie qui y subsistaient.

J'ai été la dernière à quitter l'appartement. J'ai parcouru une dernière fois toutes les pièces vides où rôdaient encore une multitude d'éclats qui captaient la lumière du soleil, une poussière d'or qui bientôt allait se déposer et disparaître pour être remplacée par d'autres éclats. J'ai refermé la porte derrière moi, derrière cette multitude d'instants. Ces instants qui, rassemblés, font, tant bien que mal, une vie. Tous se pressaient au bord de mes paupières. Je n'ai pas pu retenir mes larmes. En descendant les marches pour rejoindre Ali qui m'attendait, j'ai croisé, comme à l'accoutumée, des enfants qui se bousculaient en poussant des cris de guerre. Je suis passée devant les graffitis réapparus depuis quelques mois. Tous appellent à la guerre sainte. J'ai rencontré des voisines, Aïcha, Zahia, Fatiha et d'autres. Elles m'ont serrée dans leurs bras. Elles m'ont souhaité tout le bonheur du monde dans ma nouvelle maison. Elles m'ont demandé de ne pas les oublier. Comment le pourrais-je ? Bien sûr, je reviendrai vous voir, ai-je promis. Je ne me suis pas arrêtée chez ma mère. Elle devait être à son balcon pour nous voir partir. Aussi loin que je m'en souvienne, ma mère est toujours à son balcon – pour nous attendre, nous voir arriver et parfois lui faire de grands signes si nous voulions lui annoncer une réussite, une bonne nouvelle. Quelles bonnes nouvelles aurons-nous à lui annoncer les jours prochains, les années prochaines ?

Ali s'est levé. Il fait quelques pas dans le jardin. La ville est là, derrière les murs, étrangement calme et silencieuse. Comme si elle retenait son souffle dans l'attente de jours qui ne ressembleraient en rien au jour.

Dans d'autres maisons et peut-être au même instant, d'autres hommes et d'autres femmes se posent sans doute la même question. Celle que nous ne formulons ni l'un ni l'autre et qui nous hante, depuis longtemps déjà. Avant même que nous nous installions là, chez nous, dans cette maison que nous avons tant désirée.

Je me lève à mon tour. Je le rejoins. La nuit est d'un bleu si intense, si lumineux que les étoiles en sont presque éclipsées.

Ali sursaute au son de ma voix.

—Personne, j'en suis sûre, personne ne peut assassiner l'espoir. Cette phrase est un non-sens. Connais-tu Julio Cortázar, le romancier argentin ? Je viens, cet après-midi même, de relever ces mots dans un de ses livres. C'était là, comme un signe. *« L'espoir appartient à la vie. C'est la vie même qui se défend. »*

Au commencement était la mer
Éditions de l'Aube, 1996
et « L'Aube poche », 2011

Nouvelles d'Algérie
Grand Prix de la nouvelle de la Société des gens de Lettres
Grasset, 1998
et « L'Aube poche », 2011

Cette fille-là
prix Marguerite-Audoux
Éditions de l'Aube, 2001
et « L'Aube poche », 2011

Entendez-vous dans les montagnes…
Éditions de l'Aube, 2002
et « L'Aube poche », 2011

Sous le jasmin la nuit
Éditions de l'Aube, 2004
et « L'Aube poche », 2012

Surtout ne te retourne pas
prix Cybèle
Éditions de l'Aube, 2005
et « L'Aube poche », 2010

Sahara, mon amour
(photographies de Ourida Nekkache)
précédé de Terre inachevée jusqu'à la perfection : poèmes
Éditions de l'Aube, 2005

L'ombre d'un homme qui marche au soleil
Réflexions sur Albert Camus
(préface de Catherine Camus)
Éditions Chèvre-feuille étoilée, 2006

Pierre, sang, papier ou cendre
Éditions de l'Aube, 2009
et « L'Aube poche », 2011

L'Une et l'Autre
Éditions de l'Aube, 2009

Puisque mon cœur est mort
Éditions de l'Aube, 2009
et « L'Aube poche », 2011

Tu vois c'que je veux dire
Éditions Chèvre-feuille étoilée, 2013

On dirait qu'elle danse
Éditions Chèvre-feuille étoilée, 2014

Chaque pas que fait le soleil
Éditions Chèvre-feuille étoilée, 2015

en collaboration

À contre-silence
Entretien avec Martine Marzoff
Paroles d'Aube, 1998

Journal intime et politique, Algérie 40 ans après
(avec Mohamed Kacimi, Boualem Sansal, Nourredine Saadi, Leïla Sebbar)
Éditions de l'Aube et Littéra 05, 2003

IMPRESSION : CPI FRANCE
DÉPÔT LÉGAL : SEPTEMBRE 2007. N° 94538-9 (2048333)
IMPRIMÉ EN FRANCE